者の正義

英紀

Hideki Kakeya

はじめに

拙著『学者の暴走』の出版から約2年半が経ちました。前著では、もともと学問論をテーマに書く予定だったのですが、新型コロナウイルスの起源追究を始めた関係で、急遽（きゅうきょ）その話を入れさせていただきました。当時は、新型コロナウイルス研究所起源説は陰謀論扱いでしたが、この2年半の間に起源の追究は大きく進展しました。

２０２３年末現在、海外では研究所起源がコンセンサスと言っていい状態にまでなりました。今でもそれを否定しているのは、利益相反のある人たちだけです。具体的には中国政府（中国共産党）、人工ウイルスを作る研究をしているウイルス学者とそれを支援する米保健当局、およびそれに近しい面々です。

日本ではこの問題は長らく報道されていませんでしたが、２０２３年になって新聞やテレビでも徐々に取り扱うようになりました（といっても欧米に比べると圧倒的に少ないですが）。

今回、『学者の暴走』の続編を出してみないかと育鵬社さんからお話をいただきました。

前著出版後も、私は新型コロナウイルスの起源追究を地道に続けていました。そこでの体験談や、その活動を通じて考えたことも色々ありました。雑誌の記事やインターネット番組出演を通じて、それらを部分的に披露する機会はありましたが、全てを一冊の本にまとめるにはちょうどよいタイミングでした。

いただいたお題目は『学者の正義』です。実は、私は正義という言葉はあまり好きではありません。人間によって、何を大事にするかは異なりますが、私は大まかに次の3種類に分けています。

1つ目は、情を大事にする人。相手の気持ちを傷つけないことを一番に考える人のことです。日本人に最も多いタイプではないかと思います。

2つ目は、真理を大事にする人。情を大事にする人は、人を傷つけないためにはウソをついてもいいと考えますが、真理を大事にする人はそこで妥協しない。

3つ目は、正義を大事にする人。この種の人は、自分の正義を押し通すためなら、他人の気持ちを傷つけることも、真理を曲げることも厭（いと）わない。ですから、この手の人が一番厄介です。

そもそも、正義というのは人の数だけあります。私が正義と思っていることが、あなたにとっては正義ではない。でも、正義を大事にする人は、みな自分の正義は他人の正義より優越していると信じている。だから、争いが起きるわけです。

学者の本来の目的は真理の探求です。だから、真理の探求が『学者の正義』ということになります。真理は一つですから、学者はときに異なる学説で対立しても、研究を進めていけば、最終的には一つの真理に収斂（しゅうれん）していくはずです。

ところが、現実にはそうなっていない。それはなぜか。学者の正義が真理の探求から、論文を書くこと、研究費をとること、そして出世することに変貌してしまったからです。そのためには、真理を犠牲にするまでになった。新型コロナウイルスのパンデミックは、そうした学者の堕落した現実を露わにしました。本著では、学者の正義の変貌について、具体例をもとに議論を進めていきたいと思います。

前著は学問論に深く踏み込んで、若干難しいという印象を持たれたようです。そこで、今回はインタビュー形式をとることにしました。編集者の槇保則さんのインタビューにお答えする形で、約1時間のセッションを6回、計6時間お話ししました。それを文字に起こしていただいたのですが、私の話し方がまずいせいか、そのまま本にできるレベルにはなっていませんでした。分量も一冊の本になる字数には遠くおよびません。

そこで、私なりに構成をしなおし、４つのテーマに分けて、インタビューのパーツを利用しながらも、全て私なりに書き直す形をとりました。約半分は自分で書き下ろしたもの、残り半分はインタビューのパーツを書き直した内容になっています。

会話調で書き進めながらも、内容は哲学的なものに寄った部分もあり、その辺りは少し読みにくいかもしれません。けれども、私としては、今これを文字として残しておく価値があると思って、あえて入れさせていただきました。

新型コロナウイルスのパンデミックは、今の社会のありように多くの問題があるという現実を我々に突きつけました。危機においてこそ、平時には覆い隠されていた社会の欠陥が多く露呈します。それを反省することを通じて、今後どのような社会を作り直していくべきかを考える。それが本書で私が目指したことです。しばし、お付き合いいただければ幸いです。

目次

第1章　新型コロナを巡る学者のウソ

●2020年5月の出来事

２０１９年末に新型コロナウイルスが武漢で発生して約4年になります。本当に長い4年間でした。新型コロナウイルスが発生する前、自分がその後の人生で分子生物学会やウイルス学会で研究発表をすることになるとは夢にも思いませんでした。

２０２１年前半までに何が起きたかは、前著『学者の暴走』（２０２１年7月出版）の1章で書きましたので、詳しくはそれを読んでいただきたいのですが、そこで書いたことの簡単なおさらいを含め、この4年間で私が科学者として新型コロナウイルス問題にどのように関わってきたかをお話ししようと思います。

ご存じの通り、２０２０年の4月から5月にかけて、最初の緊急事態宣言が発令されました。それで外出できなくなったので、その間私は新型コロナウイルスに関して科学的情報を発信している海外のユーチューバーの動画を自宅でよく観ていました。具体的には元看護学者のジョン・キャンベルや元病理学者のクリス・マーテンソンなどの動画です。キャンベル博士はその後世界的に注目され、今ではチャンネル登録者数が３００万人近くになっています。いずれのチャンネルも新型コロナウイルスの毒性や感染性、治療法などについて紹介していました。

２０２０年5月になって、マーテンソン博士が突然、何回かにわたって新型コロナウイルスが人工改変された研究所起源のウイルスではないかという話を始めました。いずれも塩基配列の特徴などを示した極めて科学的な内容です。世界をロックダウンに追い込んだウイルスが科学者の手によって作られたとしたら、これは大変なことです。

前著でも書いた通り、私は大学時代分子生物学を専攻していました。ですから、マーテンソン博士の言うことはほぼ全て理解可能で、信憑性は非常に高いと感じました。ですが、専門を変えて30年近く経っており、自分の判断が正しいかどうか自信はありません。そこで、大学時代に一緒に分子生物学を学んだ同級生や同じ筑波大学に勤める生命科学の先生などで集まってオンライン会議をしました。そこに参加した人は全員、研究所起源と断定はできないものの、マーテンソンの言っていることはかなり信憑性があるという意見でした。ですが、現役の生命科学者の立場から、この問題を公に発言するのは難しいとも言いました。そこで、私が矢面に立つことになったのです。そこから長い戦いが始まりました。

●味方は海外にしかいなかった

私はマーテンソン博士の動画とそこで紹介されている資料を読み込んで、新型コロナウイルスの研究所起源説を科学的に解説する動画を制作し、2020年6月にユーチューブで公開しました。それと同時に、生命科学の倫理などの専門家にもコンタクトをとりましたが、完全に無視されました。ツイッター（現X）のアカウントでも研究所起源説について発信しましたが、一部の医師や生命科学者からは陰謀論者として激しく攻撃されました。日本の学術界には誰一人味方はいませんでした。

私のツイッターアカウントでは日本語だけでなく英語でもツイートをします。2020年11月にはアメリカで大統領選があった影響で、英語でツイートすることが多くなっていました。それで、新型コロナウイルス起源に関する私のツイートが海外の学者の目に止まり、海外の学者からフォローされるようになりました。そのうちの一人がアリーナ・チャンです。

彼女はブロード・インスティテュートというハーバード大学とMIT（マサチューセッツ工科大学）の共同研究施設で働く若いポスドクでした。後にマット・リドレーと新型コロナウイルスの起源に関する共著『VIRAL』を出して有名になる人物です。リドレーはイギリスの貴族院議員（当時）で日本でも多数の著書が翻訳・出版されている著名なサイエンス・ライターです。

２０２１年の初頭、そのアリーナ・チャンから、世界の研究者でオンラインの勉強会をしているので、一度参加してみないかとツイッターのダイレクト・メッセージをもらいました。その勉強会が後に「パリグループ」と呼ばれるようになる、約30人の研究者集団です。それ以降、毎月4時間オンラインで彼らと情報交換を続けました。

パリグループのメンバーは錚々（そうそう）たる面々です。リチャード・エブライトとスティーブン・クエイはともに生物学者で、２０２２年の米上院公聴会で証言もしています。ジェイミー・メッツルは中国駐在経験もあるアジアの専門家で、２０２３年の米下院公聴会で証言したほか、ＣＮＮやＦＯＸなどの大手メディアにもゲストとして頻繁に呼ばれる人物です。安倍総理が亡くなられたときも、ＣＮＮに出演してコメントを寄せていました。ニコライ・ペトロフスキーは新型コロナウイルスの組換えタンパクワクチンの開発に従事したオーストラリアの医師です。

●欧米では研究所起源説が主流に

私が最初にパリグループに参加した２０２１年3月時点では、海外でも新型コロナ研究所起源説は陰謀論扱いの状態でした。それが変化し始めたのは２０２１年5月です。きっかけはサイエンス・ライターのニコラス・ウェイドの記事でした。新型コロナのスパイクタンパクにあるフーリン切断部位という箇所の塩基配列について、ノーベル生理学・医学賞受賞者のデビッド・ボルティモアから「研究所起源のスモーキング・ガン（動かぬ証拠）だ」というコメントをとったのです。

ウェイドの記事以降、海外では研究所起源説は陰謀論扱いではなくなり、天然起源説と並立した仮説と見なされるようになりました。拙著『学者の暴走』から遅れること約3ヶ月、オーストラリアのスカイニュースでキャスターを務めるシャーリ・マークソンが『What Really Happened in Wuhan（邦題：新型コロナはどこからきたのか）』を出版しました。

この本は、トランプ前大統領やトランプ政権で国務長官を務めたマイク・ポンペイオ、国家情報長官を務めたジョン・ラトクリフなどの要人や米国政府のスタッフ、さらにはパリグループのペトロフスキーなどの科学者を含め、幅広い取材対象から情報を得て書かれた大作で、新型コロナは研究所起源の可能性が非常に高いと結論づけられています。続いて、さきほど紹介したチャンとリドレーの共著が2021年11月に出版されました。この本はマークソンの著書と違って、政治的な話は抜きに純粋に科学を論じており、両論併記でフェアに書かれています。

実はこれに先立つ2021年9月、非常に重要な事実が明らかになりました。アメリカの非政府組織エコヘルス・アライアンスと中国の武漢ウイルス研究所を含む研究グループが、DARPA（米国防高等研究計画局）に提出していた研究予算申請書が流出したのです。この申請書の研究計画に、フーリン切断部位を人工的に挿入する実験計画が書かれていました。これはデビッド・ボルティモアが指摘した配列です。フーリン切断部位はHIVやインフルエンザ、MERSなど、他のウイルスには存在する配列ですが、新型コロナウイルスと同系統のサルベコウイルスにはこの配列をもつものは見つかっていませんでした。他のウイルスの例で、この配列があると感染力が増すことが知られていましたから、研究者ならフーリン切断部位をサルベコウイルスに実験的に挿入してみたくなります。実際、その種の実験を行った論文も過去に存在します。

この研究計画書の流出で、世界の研究者たちの見解は大きく動きました。新型コロナウイルスの塩基配列のデータ解析で最も成果を上げているジェシー・ブルームは、この文書を見て研究所起源の可能性が高いと見解を改めました。欧米の科学者の多くもそれに続きました。私は当時から、ある日本人ウイルス学者と内々に情報交換していました（後に登場する宮沢孝幸先生とは別人です）。その方もこの研究計画が発覚するまでは、研究所起源はありうるが可能性はそれほど高くないと考えていました。でも、この計画書を見て意見を変えました。

●日本にも味方が現れる

２０２1年末まで、新型コロナウイルスの起源は研究所である可能性が高いと表で公言していた科学者は、日本では私だけでした。峰宗太郎氏や福家良太氏などＳＮＳでフォロワーが多い医師たちは新型コロナウイルス研究所起源説をデマと断言していましたから、いわゆる「医クラ」と呼ばれる彼らの仲間の医師とその信者たちからは相当攻撃されました。日本国内は敵だらけで、海外にしか味方はいませんでした。

ところが、２０２1年末にオミクロン株が登場して、状況は徐々に変わり始めました。オミクロン株はスパイクタンパクに約30の変異があり、その変異の入り方があまりに不自然でした。他の変異株は10前後かそれ以下しか変異がありません。この異常に対して、オミクロン株は人工的に作られているのではないかと日本語で発信する研究者が現れ始めたのです。一人はイタリアの研究所に勤める免疫学者の荒川央（ひろし）先生、もう一人はウイルス学者の宮沢孝幸准教授（京都大学）です。彼らが人工を疑い始めたのはオミクロン株がきっかけですが、オミクロン株が人工なら最初の武漢株も人工だろうとの見解を示しました。

宮沢先生とは2022年7月にネット番組で対談する機会に恵まれました。私が前から疑問に思っていたのは、30年前に大学の学部で分子生物学を勉強したレベルの私でも、塩基配列を見たらおかしいと思うのだから、ウイルス学者なら当然異常に気づくはずではないかということです。その疑問を宮沢先生にストレートにぶつけてみました。

やはり、宮沢先生も最初からおかしいと思われていたようです。でも、絶対天然に起きないとは言い切れず、また研究所起源ということになるとウイルス学の研究に対する規制が厳しくなるのを避けたかったと正直にお話しされました。

同じころ、日本麻酔科学会の学術集会で新型コロナウイルスの起源についてオンラインの招待講演をさせていただく機会に恵まれました。麻酔科とウイルスの話は直接関係がないので、依頼の経緯は全く分からなかったのですが、私に講演を依頼された先生から講演後お手紙をいただき、そこにご子息が拙著『学者の暴走』をお読みになったのがきっかけだと書かれていました。詳しくはお話しできませんが、そのご子息は私とは縁のある方でした。世の中、誰がどこでどうつながっているか分かりません。

●学会で聞いた学者たちの本音

日本の学者たちの沈黙を破るためには、学会で積極的に活動する必要があると私は考えました。最初にしたのが論文執筆です。オミクロン株について「人工的な変異が加えられたウイルスの可能性が高い」という主旨の論文を書き、そのプレプリント（査読前原稿）を2022年3月末に公開しました。この論文は査読（投稿された学術論文をその学問分野の専門家が読んで内容を査定する）を経て、2022年11月に日本の情報処理学会が発行するバイオインフォマティクス（遺伝子を中心とする生体情報を情報科学の観点から解析する分野）の英文誌に掲載されました。

次に2022年12月に日本分子生物学会で、オミクロン株の変異の不自然さに関する解析を深めた研究成果を発表しました。発表前は敵対的な反応が多いのではないかと思っていましたが、現実は違いました。バイオインフォマティスク分野の研究者は、みな新型コロナウイルスは研究所起源だと考えていました。やはり専門家たちは私と同じ結論に達していたのです。違いは、彼らにはそれを公言する勇気がなかった。私には勇気があった。それだけです。

その後、解析を進めていくうちに、オミクロン株だけでなくデルタ株も人工の可能性が高いと思うようになりました。実は分子生物学会でも同様の見解をもつ人に遭遇しました。それで、その解析内容を２０２３年３月の日本デザイン生命工学研究会で発表しました。

新型コロナウイルスの流行で、２０２０年以降しばらくの間、学会は全てオンラインでの実施になっていましたが、２０２２年の中頃からほとんどの学会は対面またはハイブリッド形式になっていました。対面の学会で重要な情報が掴めるのは、発表やその質疑応答よりも、むしろ休憩時間などを使った研究者どうしの直接のやりとりです。

日本デザイン生命工学研究会でも、休憩時間に非常に重要な証言を入手しました。あえて名前は伏せますが、日本で最も影響力のある研究機関の一つに勤める幹部から得た情報です。その方と名刺交換をしながら「先生は専門家だから、新型コロナウイルスの塩基配列を見て当然おかしいと思われたのではないですか」と質問してみました。すると、その方が「２０２０年1月に塩基配列が公開された瞬間から、所内が騒然となってみな研究所起源の話をしていた。でも、ある時から箝口令（かんこうれい）が布（し）かれ、所内でそのことについて一切議論してはいけないことになった」とお話しされました。私は驚いて「それは誰の命令ですか」と聞きましたが「それは分からない」とのお返事でした。

●共和党が米下院与党になって起きた変化

2022年のアメリカ中間選挙で、下院は共和党が多数になりました。パリグループでも、中間選挙で上院か下院が共和党多数になれば、新型コロナウイルスの起源の解明が進むだろうという期待はありました。なお、アメリカの科学者に共和党支持者はほとんどいません。メッツルもエブライトも民主党員です。民主党員ですら共和党にしか期待できない状況でした。

2023年になり、期待どおり米国連邦下院は新型コロナウイルスの起源について繰り返し公聴会を開催します。3月8日には、ジェイミー・メッツルやニコラス・ウェイドのほかCDC（米疾病予防管理センター）元長官のロバート・レッドフィールドも証人として出席しました。彼らは研究所起源の可能性が非常に高いと証言しました。続く4月21日の公聴会でも、ラトクリフ前国家情報長官が、「政府の情報に誰よりもアクセスすることができた人間の私にとって、研究所流出が情報、科学、そして良識によって確実に裏付けられる唯一の説明だ」と証言しました。

それに先立つ2月26日、米国エネルギー省が新型コロナウイルスは研究所起源である可能性が最も高いと見解を改めたと「ウォール・ストリート・ジャーナル」紙が報じていました。それに続いて、ＦＢＩ（米連邦捜査局）のクリストファー・レイ長官もフォックス・ニュースのインタビューに答え、新型コロナウイルスは研究所起源の可能性が最も高いとの見解を示しました。これで一気に研究所起源説が圧倒的な優勢を築くことになります。

●武漢研究所の最初の三人の感染者

6月になると、イギリスで一番歴史が古い新聞「タイムズ」の日曜版「サンデー・タイムズ」が、アメリカの情報機関の複数の関係者に取材し、「武漢研究所で新型コロナウイルスに非常に近いウイルスの実験をしていた三人が、新型コロナの最初の感染者である」という記事を載せました。

続いて「ツイッター・ファイルズ」で有名なジャーナリストのマット・タイビーとマイケル・シェレンバーガーが、武漢研究所で感染した三人の実名を含む記事を公開しました。ツイッター・ファイルズとは、イーロン・マスクがツイッター社買収後に多くのジャーナリストを雇ってツイッター社内のドキュメントを調べさせたものです。ツイッターが米国政府の機関からの検閲を受け入れていたこと、アメリカ民主党に有利な情報操作を行っていたことなどが暴露されています。

感染者の一人であるベン・フウは、中国武漢ウイルス研究所でコウモリのウイルス研究をしており、「コウモリ女」の別名をもつシー・ジェンリー（石正麗）の直属の部下です。彼らはコウモリのSARS系ウイルスのヒトへの感染力を高める研究をしていたこと、彼らを病院で診察したところ、においを感じなかったり、CTで撮影した肺がすりガラス状になっているなど、新型コロナ特有の症状を示していたことの証拠があると報じられました。この件は、「ウォール・ストリート・ジャーナル」も後追いで報じています。

これらの記事が出たのは、新型コロナの起源に関する機密情報の公開期限が迫っていたタイミングでした。２０２３年３月、アメリカ連邦議会が全会一致で、全ての「新型コロナの起源に関する機密情報」を機密解除して90日以内に公開するという法律を制定していました。

この記事の後、期限になっても国家情報局は情報を開示しませんでした。法律違反を指摘されてようやく出した声明が、「発生源はいまだ不明でどことも言えない」という、薄っぺらな報告書でした。しかも中国にかなり配慮した（それでも中国は怒っていますが）、「研究所起源かもしれないものの、生物兵器ではない」という内容です。一部の情報によると、アブリル・ヘインズ国家情報長官は全て隠蔽（いんぺい）して、天然起源という形でまとめようとしていたそうです。それを危惧した情報機関内部の人間が、メディアに情報を積極的にリークしたので、報道が相次いだのではないかと見られています。

●広島でウイルス学者と直接対決

「サンデー・タイムズ」紙や「ウォール・ストリート・ジャーナル」紙の報道の直後、私は広島で開催された「インフルエンザ研究者交流の会」という研究会に参加し、研究発表をしました。研究会の名前は「インフルエンザ」ですが、発表の半分がインフルエンザウイルス、残り半分がコロナウイルスに関するものでした。私の発表題目は「SARS-CoV-2起源問題を巡るウイルス学者たちのミスコンダクト」です。SARS-CoV-2は新型コロナウイルスの正式名称、ミスコンダクトは不正という意味です。この研究会の参加者はほぼ全員がウイルス学者ですから、非常に挑発的な内容です。

案の定、私の発表に対しては敵対的な質問が相次ぎました。私が発表の根拠にしたアメリカの情報公開制度で得られた情報や「ウォール・ストリート・ジャーナル」紙の報道は全く信用できないと言われました。たしかに、メディアの報道内容には疑う余地はあると思いますが、情報公開制度で入手した情報までフェイクと言われると、民主主義自体を全く信用していないことになります。これでは議論にならないと思いました。

ところが、その夜の懇親会会場で、ある大学の先生が私に近づいてこられて、こうおっしゃいました。「よくやってくれました。実は事前のプログラムを見て期待はしていたのですが、本当にこの話ができるのか少し疑っていました。大勢の聴衆を前にしたら、怖気(おじけ)づいて当たり障りのないことしか発言しないのではないかと。でも、本当に言ってしまった。」

その方は、別のウイルス学者とお二人で新型コロナウイルスの起源について独自に色々調べていて、私と同じ結論に達していました。専門家ですから、私よりも深いところまで検討されていたので、私も大変勉強になりました。このように、分かってはいるけど表では言えない人はやはり多いのだなと知りました。

●意外に視野が狭い学者たち

その一方で、本当に何も知らない人も多いことに気づきました。懇親会で色々な学者と話をしましたが、基本的に「自分はこのウイルスの専門家だから、それ以外のウイルスには全く興味がない」といった反応でした。ですから、新型コロナウイルスについては、私の方が他のウイルス学者より知っていることが遥かに多いという感じでした。

私の発表は研究会の1日目だったのですが、2日目のある発表の質疑応答で、オミクロン株の変異について議論がされました。さきほど述べた通り、オミクロン株の変異について私は論文も書いています。そこでの議論を聞いて、これは私の方が遥かに詳しいと思いました。

オミクロン株の起源については、研究所起源以外にもいくつかの仮説が提案され、論文化されています。その一つがマウス起源説です。少し難しい話になりますが、変異のスペクトルやスパイクタンパクの構造から、マウスの体内で変異を繰り返したと考えると説明がつくことが多いのです。実はこの点については私も同意なのですが、マウスはマウスでも実験室のマウスから研究者に感染したのが起源ではないかと私は考えています。塩基配列の特徴をみると、その方が合理的に見えるのです。

質疑応答で議論に参加しているウイルス学者たちは、マウス起源に関する有名な2本の論文について全く知らない様子でした。そこで、休憩時間にその議論に参加していた一人の先生に、マウス起源の論文についてご存じか聞いてみると、知らないとのことでした。

研究会終了後、その先生に当該論文を送りましたが、これは面白い論文だと喜ばれていました。

●研究会の後日談

この研究会を通じて、ある高名なウイルス学者と親しくなりました。研究会の後、その先生からメールをいただきました。私の発表の質疑応答で激しくやりあった先生が、その後ご自分で色々調べられて、私の発表内容にはそれなりの信憑性がありそうだとメールで伝えてきたとのことでした。さきほど述べた通り、日本の学者は学術的な話題でも自分の専門外のことには全く興味をもっていないので、普段は海外のニュースなど全く見ていないのでしょう。ところが、自分で調べてみると、本当にそういうニュースが報じられて驚いたということではないかと私は思っています。

最初は私の言うことを全く信じていなかった人が、なぜわざわざ海外の情報源をあたってその信憑性を確認してみる気になったのでしょうか。思い当たるのは、研究会の2日目の質疑応答の時間に、私が積極的に質問したことです。私は新型コロナウイルスについては論文を相当数読んでおり、かなり詳しくなっていましたから、科学的な観点から色々質問できました。それを聞いていて、私に対する見方が変わったのではないかというのが私の想像です。

●一流学術誌に掲載された疑惑の論文

これまで話してきたように、一定の知識がある人がちゃんと本気で調べれば、新型コロナウイルスは研究所起源である可能性が極めて高いという結論になるのは必然でした。にもかかわらず、なぜ天然起源説が信じられたのでしょうか。

最も影響を与えたのは2020年3月に学術誌「ネイチャー・メディスン」に掲載された論文です。この論文には、新型コロナウイルスは明らかに天然起源であると結論づけられていました。私は2020年5月の段階でこの論文を読んでいましたが、中身を見て明らかにおかしな論文だと気づきました。当時、オンライン会議に集まった他の先生方も同様の見解でした。論文の主張の根拠が論理的に破綻していたのです。

私は研究者ですから、論文は中身までちゃんと読みます。ですが、特に医師の中には、論文はアブストラクト（概要）しか読まない人も多いようです。ですから、一流の学術誌の論文に書かれた結論は、その真偽を検討せずに信じてしまう癖がついているのでしょう。

もちろん、研究をしている医師はそんな論文の読み方はしないと思いますが、そうでない医師は本業の診療で忙しいですから、論文を精読しないことを私は責めません。ただ、論文を精読していないのに、論文を精読している相手に対して、自分の方が分かっているという態度をとった医師が多かったのは大変残念でした。

●疑惑の論文が書かれた背景

「ネイチャー・メディスン」のおかしな論文ですが、アメリカではその正体が徐々に明らかになっていきました。最初に分かったのは、2021年6月に情報公開法（FOIA）に基づいて米国メディアが入手して公開した電子メールです。米国立アレルギー感染症研究所（NIAID）所長（当時）で、アメリカの新型コロナウイルス対策を指揮していたアンソニー・ファウチと「ネイチャー・メディスン」の論文の著者たちのやりとりの一部が明らかになりました。

論文が公開される約1ヶ月半前の2020年1月31日、論文の筆頭著者のクリスチャン・アンダーセンがファウチに送った電子メールには「人工的に見える遺伝子配列の特徴を見出すには全ての配列を非常に注意深く見なければならない」「今日終えた議論で、エディー、ボブ、マイク（この3名のうちの2名はネイチャー・メディスンの論文の共著者）と私は皆、この遺伝子配列は自然進化説とは整合性がとれないとの見解で一致した」と書かれていました。これに対し、ファウチは「すぐ電話する」と返信しています。

この後、2月4日には、「ネイチャー・メディスン」の論文の草稿と思われるものが、著者の一人であるエドワード・ホームズからジェレミー・ファラーを経由してファウチ宛に転送されていました。エドワード・ホームズのメールには、「頭がおかしいと思われないように、他の異常な点については言及しないようにした」との記述があります。

1月31日時点で新型コロナウイルスに人工的改変が含まれると思っていた彼らが、ほんの数日のうちになぜ意見を変えて天然説を主張する論文を書いたのでしょうか。実は2月1日、ファウチやNIH（米国立衛生研究所）のフランシス・コリンズ所長（当時）は、「ネイチャー・メディスン」の論文の著者らとビデオ会議を行ったことが明らかになっています。そこで、何らかの圧力がかかったのではないかと疑われていました。この論文発表後、論文の著者らがNIHから多額の研究費を得ていた事実も疑惑に拍車をかけました。

●疑惑の論文の正体判明

さきほど述べたように、2023年に入って米下院は新型コロナ起源に関する公聴会を繰り返し開催しています。7月11日、ついに「ネイチャー・メディスン」論文の著者であるクリスチャン・アンダーセンとロバート・ゲリーが証人に呼ばれました。

情報公開でファウチとのメールが明るみに出てから、彼らはファウチとの会議の後に、科学的に新たな証拠が見つかったので見解を変えたと言い訳をしていました。しかし、実際にはそうした証拠はなく、彼らは証拠の中身について問われると、適当にはぐらかすだけで、具体的な証拠の提示は全くできていませんでした。

公聴会でも同じような質問をされましたが、これまでと同様の答えではぐらかしていました。これまで、それで逃げることに成功していたので、今回も逃げ切れると思ったのでしょう。ところが共和党の下院議員たちは一枚上手でした。公聴会の後、議会権限で入手していたアンダーセンやゲリーたちのスラック（メッセージアプリ）でのやりとりを公開したのです。

そのメッセージの内容は衝撃的なものでした。アンダーセンは論文発表の翌月にも、新型コロナウイルスについて「研究室での培養の可能性は否定できない」「人工的改変の可能性も否定できない」「フーリン切断部位は人工的に挿入された可能性がある」とスラックで書いていたのです。つまり、2023年2月に見解を変えたという議会での証言は偽証であるということが判明しました。

彼らが書いた「ネイチャー・メディスン」の論文は、自らの科学的見解と異なることを発表したもので、研究不正に該当します。これに対して、コロンビア大学やオックスフォード大学などに所属する世界の科学者34名は連名で、「ネイチャー・メディスン」に論文の取り下げを求めるオープン・レターを提出しました。僭越ながら、私もここに名を連ねさせていただきました。しかしながら、「ネイチャー・メディスン」は何のリアクションもせず、無視を決め込んでいます。

●なぜウソ論文を書いたのか

なぜ、彼らは不正論文を書いてまで、新型コロナウイルスが天然起源であることにする必要があったのでしょうか。実は、NIHは、エコヘルス・アライアンスを通じて、中国の武漢ウイルス研究所に多額の研究費を支給していました。その研究費を使って人工ウイルスが作られ世界的パンデミックを起こしたとなると、NIHのコリンズやその傘下のN

ＩＡＩＤのファウチは、その責任を追及されることになります。実際、米国連邦議会上院において、ファウチはこの点をランド・ポール議員から激しく追及されていました。

米下院の共和党が公開したスラックのやりとりの中には、コリンズやファウチの圧力を示唆するものが含まれていました。２０２０年2月1日のビデオ会議中に、「ネイチャー・メディスン」論文の著者たちはスラックでメッセージのやりとりをしていたのですが、そのなかに〝Big Ask〟（大きなお願い）という発言がありました。ＮＩＨを守るために、天然起源の論文を書くように要求されたと考えられます。

「ネイチャー・メディスン」の論文以外にも、２０２１年から２０２２年にかけて、「セル」、「サイエンス」といったメジャーな学術誌に天然起源を主張する論文が相次いで出版されました。論文の著者たちにはかなり重なりがあります。ファウチはこれらの論文を根拠に天然起源を主張し続けました。しかし、これらの論文にはデータの恣意的なサンプリングなど、学術的に多くの問題が指摘されています。これらも政治的意図で書かれた可能性が非常に高いと思われます。

●機能獲得研究とは何か

彼らがそこまでして研究所起源を否定するもう一つの理由として、機能獲得研究が禁止されるのを恐れたことが考えられます。機能獲得研究とは、ウイルスや細菌などの病原体の感染性や毒性を人工的に強める研究のことです。２０２０年２月１日のビデオ会議には欧州からロン・フーシェ、クリスチャン・ドロステン、マリオン・クープマンスなど、機能獲得研究を推進する学者たちが参加していました。ファウチ自身も機能獲得研究の熱心な推進者です。

世界的に最も注目された機能獲得研究は、２０１２年に日本人の河岡義裕とオランダ・エラスムス医療センターのロン・フーシェが同時期に発表した研究です。彼らは鳥インフルエンザウイルスを人工的に改変し、フェレット（哺乳類）の間で飛沫感染させることに成功しました。生物兵器に転用可能な非常に危険な研究として、世界を震撼させました。

そんな危険な機能獲得研究は一体何を目的に行われているのか不思議に思うでしょう。研究者は治療や予防に結びつくと主張します。実際、２０２３年5月22日の参議院決算委員会において柳ヶ瀬裕文議員が行った機能獲得研究に関する質問に対して、加藤勝信厚生労働大臣も治療薬やワクチンの開発につながると答弁しています。

しかし、この大臣答弁は間違いです。機能獲得研究が治療や予防に貢献する確率はゼロに近いと言われています。その理由は、ヒトに感染しうるウイルスは無数にあるからです。2022年8月3日の米上院公聴会でマサチューセッツ工科大学のケビン・エスベルトが指摘している通り、人工的に作ったのと同じウイルスが天然に発生する確率は極めて低いのです。つまり、人工ウイルスに対する薬やワクチンが天然の新ウイルスに効く可能性はほとんどないということです。実際、新型コロナウイルスの治療薬やワクチン開発についても、パンデミック前に行われていた機能獲得研究の成果は何の役にも立っていません。

●機能獲得研究は生物兵器開発を目的とする

人工ウイルス用に開発したワクチンは、それを生物兵器として撒くときの自己防御目的には非常に有効です。つまり、機能獲得研究は軍民両用のいわゆるデュアルユース研究ではなく、むしろ純粋な軍事研究と位置付けるべきものなのです。

国家防衛のためには機能獲得研究が必要だと主張する人もいます。しかし、自ら生物兵器で攻撃するつもりはなく、純粋に防衛だけに特化するならば、機能獲得研究は必要ありません。むしろ必要なのは、中国をはじめとする潜在的敵国でどのような生物兵器が作られているかを調べる諜報活動の方です。
エイドリアン・ジョーンズらの研究グループは、武漢のコメのDNAサンプルのコンタミ（混入異物）としてMERSウイルス（致死率35％）のスパイクタンパクをヒトに感染しやすいものに置き換えた配列を見出しています。こうした塩基配列を事前に察知しておけば、それを防御するメッセンジャーRNAワクチンや組換えタンパクワクチンをすぐに作ることは可能です。

●機能獲得研究は論文量産に好都合

では、機能獲得研究をしているウイルス学者は、みな生物兵器を作りたがっているのでしょうか。話はそう単純ではありません。パリグループのメンバーでもあるラトガース大学のエブライト教授は、2021年8月10日に公開された「ディスインフォメーション・クロニクル」のインタビュー記事において、次のように語っています。

「機能獲得研究はパンデミックを予防したり、それに対処するのには全く役立たない。こうした研究が行われるのは、研究者の出世のためだ。機能獲得研究は実験がしやすい。論文が書きやすく、研究予算がとりやすいのだ。抗ウイルス薬の開発は、通常20年もの長い年月がかかり、成功確率も20分の1程度だ。一方、機能獲得実験は6ヶ月しか要しないし、成功確率は100％に近い。機能獲得研究なら、すぐに結果が得られ、論文が書け、次の研究予算にありつけるというわけだ。」

つまり、論文を書いて、お金をとって、出世することしか、今の研究者の頭にはないのです。そういう研究者の欲が、生物兵器開発に利用されている面があります。

エブライト教授は、2014年にスタンフォード大学のデビッド・レルマン教授らとともに、危険な機能獲得研究の制限を求めるケンブリッジ・ワーキング・グループを立ち上げました。約400人の研究者が署名に参加しましたが、この活動はすぐに力を失いました。署名した学者のうち、アメリカの研究者が次々離脱していったのです。その理由について、エブライト教授は衝撃の事実を述べています。離脱したメンバーは、NIHから支給されている研究費の打ち切りをファウチから示唆されたというのです。ファウチがそこまでして機能獲得研究を進めたい理由は不明ですが、その手段は卑劣そのものです。

●機能獲得研究の事故

たとえ生物兵器を意図していないとしても、危険なウイルスが事故で漏れたら大変なことになります。実際、新型コロナウイルスの起源も研究所からの事故による流出が濃厚です。それにより世界で７００万人（別の集計方法では２０００万人）の命が奪われたという結果は極めて重大です。では、武漢ウイルス研究所だけが安全対策が不十分で、他の研究所は安全なのでしょうか。実はそんなことはありません。

２０２１年末、台湾の研究所から実験に使っていたデルタ株が漏れたことが明らかになりました。感染源が迅速に特定できたのは、当時の台湾は国境を封鎖して感染者ゼロを維持していたにもかかわらず感染者が出たからです。そのため、感染源が研究所であることがすぐに突き止められました。

感染の原因は、マウスにウイルスを感染させて実験していた研究員が、そのマウスに手を噛まれたことでした。それで研究員が感染し、その研究員が周囲の人にも感染させました。台湾では患者がいなかったため発生源が研究所だと分かりましたが、ほかの国で同じような事故が起きても、市中感染に紛れて研究所から漏れたと気づかれない可能性が高いと思われます。

●頻繁に起きる研究所からのウイルス流出

台湾の例からも分かる通り、研究室での事故は起きるものなのです。さきほど述べましたが、新型コロナウイルスの変異株の中には、人工的に変異を導入したとみられる株があります。人工的なウイルスであるということは、事故で漏れたか、でなければ誰かが意図的に撒いたということになります。

ドイツの学者バレンティン・ブルッテルは、今後免疫から逃れるように出現してくるであろう変異に対するパン・バリアント・ワクチン、つまりあらゆる変異に対応できるワクチンを作ろうとして実験していたときに漏れたウイルスがオミクロン株ではないかという仮説を披露しています。ブルッテルもパリグループの一員で、私もよく情報交換をしている相手です。

私の最近の解析では、デルタ株とオミクロン株のBA.2には、流行後期に実験室から漏れた株が広がった形跡があることが分かりました。なぜそのようなことが言えるかというと、少し専門的な話になりますが、D614G変異に復帰変異がある株が大量に見つかっているからです。

難しいと思いますので、分かりやすく説明しようと思います。D614G変異というのは、スパイクタンパクの６１４番目のアミノ酸がアスパラギン酸からグリシンに変わったことを意味します。これは２０２０年の流行初期に最初に出現して広がった変異です。もともとの武漢株は６１４番目のアミノ酸がアスパラギン酸だったのですが、これはコウモリの体内や培養細胞ではそれなりに安定な一方、ヒトの体内では不安定であることが分かっています。なので、すぐにグリシンへの変異が出現し、それが広がったのです。この変異は全ての主要な変異株に共通する唯一の変異で、それだけヒトの体内では安定のものといえます。

ところが、この６１４番目のアミノ酸がグリシンからまたもとのアスパラギン酸に戻った変異が、デルタ株とオミクロン株ＢＡ．２の流行後期に大量に見つかっているのです。市中感染をしていて、ヒトの体内で不安定化する変異が起きることはまず考えられません。それゆえ、この変異を含む変異株は、研究所から漏れた可能性が非常に高いのです。

●田中・宮沢論文の衝撃

大阪医科薬科大学の田中淳先生と京大の宮沢先生は、さらに衝撃的な解析結果をプレプリント論文として発表しました。オミクロン株にはスパイクタンパクに約30の変異があることは先ほど述べましたが、オミクロン株BA.1、BA.1.1、BA.2のいずれにも、それぞれの変異を1つずつ武漢株に戻したものが見つかったのです。

30もある変異について、そのどれについても1つだけ元に戻ったものが天然に生じることは考えられません。ありうるシナリオとしては、研究者がそれぞれの変異の影響を調べるために、1つずつ武漢株に戻した変異株を作ってみたというものです。善意に考えると、そのような実験を研究施設でしていたところ、それが全て事故で漏れてしまったというシナリオが想定されますが、より悪質なケースとして、そうやって作った変異株を市中に撒いてみて、どれが優勢になるか試してみたというシナリオも考えられます。後者であるとしたら、広い意味での人体実験で、まさに悪魔の所業です。

田中・宮沢論文は海外ではかなり注目されています。日本でも、地上波テレビで取り上げられるまでに至りました。どこの研究室で何が行われているのか、新型コロナウイルスを扱っている世界中の研究施設を対象に、徹底した立ち入り調査が急務です。

●変異株を作る実験は普通に行われている

新型コロナウイルスへの人工変異の導入について、2023年1月に興味深い事件が起きました。プロジェクト・ヴェリタスが、ファイザー社の研究開発部長であるジョーダン・トリスタン・ウォーカーから、同社が新型コロナウイルスの変異株を作る計画をしていたとの発言をとって記録に収めたのです。

プロジェクト・ヴェリタスは隠しカメラや隠しマイクを用いて極秘情報を入手する取材方法で知られています。これまでも、エスタブリッシュメント（支配階級・組織）に都合が悪く、主流メディアが一切報じない問題に切り込んできました。それゆえ物議を醸すことも多く、しばしば極右団体とのレッテルを貼られることもありますが、実績も多くあります。

プロジェクト・ヴェリタスがウォーカーから情報を得たのも、隠しカメラと隠しマイクを用いた手法です。ウォーカーはゲイですが、そのデート相手の男性（元ファイザー社員）との会話を隠して録画・録音したのです。そこで、彼は新型コロナウイルスの進化を人工的に誘導（directed evolution）し、それをワクチン開発に利用する計画を話しました。

さらに、ウォーカーは新型コロナウイルスが武漢で発生したのも、同じようにウイルスを人工的に進化させた結果だろうと述べています。ほかにも、政府規制当局の職員は医療産業複合体に天下りするので、製薬会社に厳しい判断はしないとの発言もしており、これも注目に値します。

この動画の続編では、プロジェクト・ヴェリタスの創設者であるジェームズ・オキーフがウォーカーの前に現れ、隠し撮りをしたことを暴露するシーンも公開されています。ウォーカーは取り乱し、プロジェクト・ヴェリタスのスタッフからタブレットPCを取り上げ、地面に叩きつけて壊そうとする場面も含まれています。動画の第三弾では、隠し撮り中に、ウォーカーが新型コロナウイルスのワクチンが女性の生理不順を招くことについても認め、その原因について議論しているシーンが公開されています。

マルコ・ルビオ上院議員はファイザー社に対して暴露動画の中でウォーカーが言っていたことの真偽について回答するよう求めました。これに対し、ファイザー社は2023年1月27日の夜8時（現地時間）にウェブページで公式に回答を行いました。その文書の冒頭では、ファイザー社は機能獲得研究や誘導進化は行っていないと書かれていましたが、その後で「知られている変異を含まないウイルスに対し、抗ウイルス薬の効果を評価するために、人工的に変異を誘導することはある」と述べています。彼らは自ら人工的に変異を導入した変異株を作成していることを公式に認めたわけです。

●新型コロナの前にも研究の事故は頻繁に起きている

２０２３年４月25日、アメリカで一冊の本が出版されました。アリソン・ヤング著『Pandora's Gamble: Lab Leaks, Pandemics, and a World at Risk（パンドラのギャンブル：研究所流出、パンデミック、そして危険に晒される世界）』（未訳）です。日本はもちろん、アメリカでもそれほど大きな話題になっている本ではありませんが、内容は衝撃的です。主にアメリカにおいて行われた、これまでの生物兵器研究を中心とした病原体の研究と、そこで発生した流出事故の歴史が詳細に記されています。中でも我々日本人が注目すべきは第15章です。ここで河岡義裕教授が過去に起こした危険な病原体研究の事故に関する詳細が報告されています。

さきほど述べた通り、河岡教授は鳥インフルエンザの機能獲得研究で有名な人物です。河岡教授は東京大学医科学研究所とアメリカのウィスコンシン大学マディソン校の両方に属していますが、危険な機能獲得研究はアメリカで行っています。

２０１３年、河岡教授の下で働くウィスコンシン大学の研究者が、実験の際に誤ってウイルスの入った注射の針を自分に刺すという事故を起こしました。研究所からの病原体の漏洩の多くは研究者が実験中に自ら病原体に感染するケースがほとんどです。この事故のように研究者が感染する可能性がある事象が発生した場合、その研究者は一定期間、誰とも接触しないように専用施設で検疫隔離する必要があります。にもかかわらず、河岡教授はその対応をとらずに自宅待機させたのみでした。

実はこの実験を含む研究計画でＮＩＨから研究費をとった際、河岡教授は検疫隔離施設を準備することを約束していました。にもかかわらず、実際にはその施設を用意していなかったのです。そのため自宅待機させるしかなかったというわけです。

さらに２０１９年には、河岡教授の下で働く研究者が装着していた呼吸器に空気を送り込むホースが実験中に外れるという事故も発生しました。これも研究者が病原体を吸い込む可能性のある事故でしたが、河岡教授はそれを関係各所に迅速に報告しませんでした。

このアリソン・ヤングの告発を契機にウィスコンシン州では、州内で機能獲得研究を禁止する立法が準備されています。この法律ができると、河岡教授は今の実験をウィスコンシン大学では続けられなくなります。

●隠蔽体質の研究者たちによる研究施設の建設

現時点で河岡教授はアメリカでしか機能獲得研究をしていませんが、今後それが日本でも行われる可能性があります。２０２２年から国立研究開発法人日本医療研究開発機構（ＡＭＥＤ）という政府系の研究機関が、河岡教授をリーダーとする研究プロジェクトに莫大な研究費を出しています。そこで、武漢ウイルス研究所と似たような研究を企図しているという情報もあります。

長崎大学のキャンパス内に「ＢＳＬ‐４（バイオ・セーフティ・レベル４）」の施設が建設されました。武漢ウイルス研究所と同様の危険な研究ができる施設です。運用は開始されていませんが、ウイルス学者たちは、そこで危険なウイルス研究を始めたくて、うずうずしています。前述した広島での研究会のウイルス学者たちのやりとりを見て、私はそれを肌で感じました。

広島の研究会で、この施設推進の先頭に立っている教授と直接話す機会がありました。私は「ウイルス学者は事故を隠したがる隠蔽体質なので、安全対策について外部の目を入れる必要があるのではないか」と言いました。その際に、アリソン・ヤングの著書に書かれた河岡教授の事故の話を知っているかと聞きましたが、知らないとの返答でした。

長崎大は地元の理解を得るために、地元の人向けに安全性をアピールするイベントは盛んにやっているようです。その一方で、過去の事故に学んでどう安全を確保するかについては、本気で考えていないことがよく分かりました。

私はその教授に、警察や自衛隊の専門家などの第三者の監視システムの必要性を説いたのですが、露骨にいやな顔をしながら「警察や自衛隊の人間を入れると、地元の人が拒否反応を示す」という訳の分からない返答をされました。

「大学がしっかり管理する」と言っても、河岡教授のケースのように大学内で事故や不祥事が起こると、レピュテーションリスク（信用やブランドの低下によって発生する損失）が生じるため、大学当局は隠蔽に走りがちです。それゆえ、レピュテーションリスクと関係のない外部の人が監視する必要があるのです。それを受け入れないということは、逆に施設が危険ではないかと疑われて当然です。

また、こういう危険な施設を長崎大学のキャンパス内に作ることも問題です。本来なら離島や南極など、一般人との接触がない場所に作るのが安全です。原子力の施設も人口密度の低い場所に作ります。ところが、ウイルス学者はそれを嫌がります。例えば、コロンビア大学のダニエル・グリフィンは、２０２１年のポッド・キャスト上でのスティーブン・クエイとの討論において、危険な研究の拠点を過疎地に移すと研究者の子息がいい学校に行けないと語っています。公衆の安全より、自分の生活の利便を優先するウイルス学者は、原子力の研究者に比べると倫理感が大きく欠落していると思います。

●中国はマッドサイエンティストの天国

ウィスコンシン州のように、先進国では機能獲得研究に対する規制は強化されつつあります。アメリカは連邦レベルでも、オバマ政権下で機能獲得研究は禁止になりました。でも、ファウチらはすぐに規制に抜け穴を作り、さらにトランプ政権になったときに、こっそり規制を撤廃しました。とはいえ、危険な研究がやりにくくなっているのは事実です。そこで欧米のウイルス学者が考えたのが、中国との共同研究です。

中国の強みは、人権がないためどんな人体実験もできる点です。人権がないわけですからどんな非人道的な研究もできます。中国はマッドサイエンティストの楽園なのです。コロナウイルスの機能獲得研究も、アメリカではできない実験を中国ではできるからということで、アメリカの学者が中国と協力してやったわけです。

かつては先進国も人権意識が低かったため、非人道的な実験が自由にできました。欧米で1940年代から50年代にかけて、ロボトミー手術（大脳の神経回路を脳のほかの部分から切り離す外科手術）が盛んに行われました。これは非人道的な治療でしたが、それによって脳に関する色々なことが分かり、脳科学が発展したという事実は否定できません。ウイルスの機能獲得研究も、科学的価値があることを私は否定しません。しかし、ウイルスは世界中に広がりますから、病原性や感染性の強いウイルスを作ることは、ロボトミーよりも倫理的に遥かに問題の大きい行為です。

全体主義国家は情報を隠蔽します。中国は規制が緩いからと安易に技術移転すると、そこで事故が起きたときに中で何が起きたか分からなくなります。実際、新型コロナのパンデミックに直面した中国は、それまで公開していたウイルスのデータベースを遮断し、武漢ウイルス研究所内の査察も一切認めません。

科学に絶対必要なのは透明性です。ですから、中国のような全体主義国家と共同で科学研究を行うことは、本来あってはならないことです。今回のパンデミックは、それを再認識させるに十分の出来事だったのではないでしょうか。

●アンソニー・ファウチの正体

これまでの話で、ファウチという人物が何度も登場しました。この人物について、もう少し詳しく話そうと思います。彼についてはこれまでも黒い噂が多くありました。ケネディ大統領の甥にあたるロバート・Ｆ・ケネディ・ジュニア（ＲＦＫジュニア）は、２０２1年に『The Real Anthony Fauci（アンソニー・ファウチの正体）』と題する本を書き、アメリカでベストセラーとなっています。また、デイリー・ワイヤーのキャスターであるマイケル・ノールズもFauci Unmasked（ファウチの仮面を剥ぐ）というドキュメンタリを制作しています。

ファウチがＮＩＡＩＤの所長になったのは１９８４年です。退任する２０２２年末まで、39年にわたり同じ職に就いていたのは、公務員としては異常です。ＮＩＡＩＤはＮＩＨ傘下の組織で、ＮＩＨ所長に昇格する話もあったのに、それを断ったと言われています。ＮＩＨの所長にまでなってしまうと、長く居座ることができなくなるからではないかと想像されます。

ファウチがＮＩＡＩＤ所長に就任したとき、アメリカで猛威をふるっていたのがエイズ（ＨＩＶ）です。その頃はエイズに有効な治療法はなく、多くの患者が命を落としていったことは、当時の記憶がある世代ならよく覚えているでしょう。治療法が見つからない中、特許切れの抗生物質バクトリムが効きそうだという情報が現場の医師たちから上がってきていました。患者たちは使用推奨を求めましたが、ランダム化比較試験がされていないことを理由にファウチはそれを拒否しました。ファウチは製薬会社と新薬ＡＺＴの開発に力を入れて早期承認しましたが、効果や副作用の点で新薬ゆえの問題も多く生じました。一方、患者たちは自らお金を集め、ランダム化比較試験を2年かけて行い、バクトリムの有効性を示しました。その間に約1万7千人の命が失われました。

新型コロナウイルスについても、これと同じことが繰り返されている可能性があります。特許切れの薬であるヒドロキシクロロキン、アビガン（ファビピラビル）、イベルメクチンなどが、新型コロナウイルスの症状緩和に効果があるのではないかと期待されました。ところが、これらの薬に肯定的な発言をしただけで、激しいバッシングに遭う状況が生まれました。

ヒドロキシクロロキンは、トランプが勧めたことで、効果の可能性を語ると陰謀論者扱いされましたが、この薬はＳＡＲＳの治療薬として研究され、論文も出ています。よって、ＳＡＲＳウイルスに類似する新型コロナウイルスの薬の候補とされるのは、科学的にみて自然なことでした。

アビガンは流行初期に日本で大きな期待を寄せられた薬でした。有名医学雑誌「ＢＭＪ」のデータ収集サイトでも、アビガンは各種研究において有意差のある効果が見られていました。ところが、知らないうちに治療薬の候補から消えてしまったのです。

一方、ファウチはワクチンと新薬開発に注力しました。いずれも製薬会社に巨大な利益をもたらしました。もし、特許切れの薬が効くとなると、製薬会社が得られる利益はほとんどなくなります。そのため、バクトリムのように本当は効く薬が葬り去られた可能性は否定できません。この点は、今後時間をかけて検証する必要があるでしょう。

話をエイズに戻すと、当時この病気は主に同性愛者の間で広がりました。1990年には、ゲイのリベラル活動家がNIHに対する大規模な抗議活動を行っています。その映像はネットで検索すれば今でも見ることができるので、是非調べてみてください。今流で言うとLGBTの敵だったファウチを、LGBTの権利を推進する民主党をはじめとするリベラル勢力が擁護しているのは皮肉です。

1990年代になると、ファウチはHIVのワクチン開発に取り組みましたが、これも失敗に終わります。失敗続きだったファウチが力を持つことになったのは、2001年の9・11同時多発テロの直後、テレビ局、出版社、上院議員に対し、炭疽菌が封入された容器の入った封筒が送りつけられるバイオテロが発生したのが契機です。これに対してチェイニー副大統領（当時）はバイオテロ対策の研究強化を命じました。その中心となったのがファウチだったのです。

●アメリカにおける官僚と企業の癒着

ファウチの正体を暴露する本を書いたＲＦＫジュニアは２０２４年米大統領選に出馬して注目を浴びています。彼はこれまで環境問題を専門とする弁護士として活動してきましたが、ワクチンが自閉症増加の原因であるという発言をしているため、「反ワクチンの陰謀論者である」と批判されてきました。ただ、色々調べてみると、彼の言っていることは陰謀論とは言い切れない面があります。

プロジェクト・ヴェリタスの覆面取材を受けたウォーカーが言っている通り、アメリカではＣＤＣやＦＤＡといった保健衛生行政の幹部は、製薬会社のメルクやファイザーに天下りしています。そのため政府は、製薬会社が不利になるようなことはしません。完全に癒着しているのです。ＲＦＫジュニアは、この製薬会社や政府規制当局からなる医療産業複合体（Medical-industrial complex）の癒着を厳しく批判しています。彼はそれ以外に軍産複合体（Military-industrial complex）も批判しています。

加えて、最近は検閲産業複合体（Censorship-industrial complex）という言葉も登場しています。ユーチューブなどのソーシャルメディア企業を指してのことです。ユーチューブは新型コロナワクチンについて少しでも不利なことを言うと動画を削除することで有名です。しかし、そうした検閲はユーチューブに留まりません。さきほど「ツイッター・ファイルズ」に触れましたが、ツイッターでも似たようなことが行われていました。

前述の通り、イーロン・マスクはツイッター社買収後にジャーナリストを雇ってツイッター社内のドキュメントを調べさせました。その結果、新型コロナ関係でも検閲が行われていたことが明らかになりました。一度感染した人や子どもはワクチン接種の必要がないとツイートしたハーバード大学のマーティン・クルドルフ教授や、ファウチのロックダウン政策に反対したスタンフォード大学のジェイ・バタチャリア教授がシャドー・バン（裏でアルゴリズムを働かせてツイートを見られにくくすること）されていたのです。彼らは、ファウチら政府保健当局の政策を批判し、「グレート・バリントン宣言」を出したことでも有名です。政府に批判的な人物は、有名大学教授の発信でも目立たないようにする操作が行われていたわけです。

ツイッター社の検閲の多くは、政府当局者の要請によるものでした。米国政府の腐敗は深刻です。そんな中、２０２３年９月に米政府の腐敗を象徴する衝撃的なニュースが飛び込んできました。新型コロナウイルスの起源を調査していたＣＩＡ分析官７人中６人が、研究所起源であると考えていたのに、お金を受け取って天然起源に見解を変えたという内部告発が米議会の特別小委員会に対してあったのです。

さらに、その約１週間後、それを追い打ちするニュースがありました。ＣＩＡの本部にファウチを入館記録が残らない形で招き入れ、新型コロナ起源の調査に影響力を行使させていたというのです。

●マスコミも製薬会社と癒着

製薬会社は政治家に巨額の献金をし、政府当局者の天下りを受け入れる一方、マスコミには巨額の広告費を出しています。ですから、既存の大手マスコミは薬やワクチンについてマイナスになる報道はしません。ユーチューブの検閲と同じです。昔は、アメリカでは処方薬のテレビ広告は禁止されていました。それが解禁されて以降、アメリカのテレビは薬の広告だらけになっています。

日本の新聞社は、過去は収入に占める読者の購買料の割合がそれなりに大きかったため、スポンサーよりも読者である一般国民の側に立った報道をする傾向がありました。ところが発行部数が減ってくると、どうしても広告費への依存度が高くなります。そのためスポンサーに配慮し、企業の不正に切り込むような報道が少なくなっているのでしょう。

例えば、今回のコロナワクチンについても色々と副反応の被害が指摘されています。ところがマスコミはほとんど記事にしません。１９８０年代後半から90年代に顕在化した薬害エイズ問題では、汚染された血液製剤を売ったミドリ十字を新聞社は厳しく追及しました。２０１０年代、ＨＰＶワクチン（子宮頸がんワクチン）の副反応が顕在化したときも、朝日新聞や毎日新聞が取り上げて記事にしました。その結果、ＨＰＶワクチンの接種は推奨されなくなりました。

最近は、ＨＰＶワクチン推奨の医師が盛り返しており、当時の判断は間違いだったのではないかという意見が増えています。特に、朝日新聞や毎日新聞が嫌いな保守系にそういう意見を持つ人が多いようです。私は科学者ですから、党派性に基づいた判断はしません。私はＨＰＶワクチンについては専門性がないので、基本的にこの話題に触らないようにしていました。

●ワクチン副反応問題との出会い

新型コロナウイルスの起源を追っていると、新型コロナワクチンの副反応を調べている人たちと接点ができるようになります。あるとき、ワクチンの副反応を勉強している医師たちの研究会で、新型コロナ起源について話して欲しいと依頼を受けました。そのときに、私と同じ演者の立場で講演されたのが、東大医学部を卒業され、国公立大学で神経内科の教授を勤められた重鎮の医師でした。

神経内科はワクチンの副反応については最も専門性の高い診療科です。それを専門にする先生が新型コロナの後遺症（Long COVID）と子宮頸がんワクチンの後遺症の類似性について講演されたのです。非常に専門性の高い話で、私にはよく理解できなかった部分もありました。ですが、その先生はＨＰＶワクチンには副反応が約千分の1の確率で起きること、日本でＨＰＶワクチン接種が減ったのは大成功だった、海外はこれから訴訟で大変なことになるだろうとおっしゃいました。私が普段聞いている話とは全く違ったので大変驚きました。その後、研究会に参加していた医師たちと懇親会に行ったのですが、そこで聞いた話も表に出ている話とあまりに違ったのでさらに驚きました。

ＨＰＶワクチンについては村中璃子氏、木下喬弘（たかひろ）氏といった医師が推進派として有名です。HPVワクチンを巡って、村中氏は子宮頸がんワクチンの薬害を認める側に立った信州大学の池田修一教授（当時）を猛批判し、名誉棄損で裁判にまでなりました（村中氏は自らの誤りを認めませんでしたが、村中氏の記事を掲載した雑誌が池田教授に330万円の損害賠償金を支払うことで決着）。

村中氏が池田教授を悪者だと喧伝していたので、私も騙されていたのですが、懇親会に参加した医師たちは、池田教授は勇気のある立派な先生だと口をそろえておっしゃいました。普通の医師は、製薬会社に不都合なことを発言すると各方面から叩かれるため、医師どうしでは情報共有をするものの、一般に向けて真実を言えない状況だというのです。

●新型コロナワクチン推進の問題点

私が参加したこのワクチン副反応の研究会は、新型コロナワクチンの副反応について主眼をおいたものです。参加しているのは大学病院の先生や市中病院の医師たちで、実際に副反応の患者を診ておられる先生方です。

われわれがメディアやSNSを通じて接するのは、ほとんどがワクチン推進派の医師です。彼らは2種類に大別されます。一つは大阪大学の忽那賢志（くつなさとし）教授のように専門家ではあるが、利益相反がある人たち（忽那氏はファイザーの広告に出ています）、もう一つはHPVワクチンも推進していた村中氏や木下氏のような人たちです。後者は医師免許は持っていても、免疫やウイルスに関する専門性はない人たちです。若くて広告塔的な役割を担っているのが特徴です。

結果的に、新型コロナワクチンには色々な問題が生じています。最初は集団免疫ができるとの話でしたが、全くのウソでした。私は専門家ではないので全く知らなかったのですが、そもそも新型コロナワクチンはＩｇＡ（粘膜免疫）をごく僅かしか誘導しないので、感染予防効果はほとんどないことが最初から分かっていたそうです。集団免疫ができないことがバレると、推進派の医師たちはワクチンの目的は重症化予防だと言い始めました。

日本のワクチン接種は海外の後追いをすることになりましたから、他国の様子を見ることができました。日本では若年層の接種が進んでいない２０２１年春の段階で、若い男性に心筋炎・心膜炎の副反応が多いことは海外のデータから明らかになっていました。モデルナでその頻度が多いことも米軍の接種データで分かっていました。にもかかわらず、日本ではその後集団接種でモデルナを若い人に積極的に打ちました。

また、若い人は新型コロナに感染しても重症化しないことも分かっていました。デルタ株は若者も重症化すると言って、若者にワクチン接種を積極的に推奨する医師もいましたが、イギリスの保健当局のデータを見る限り、その傾向はありませんでした。実際、日本でもデルタ株になっても若者はほとんど重症化しませんでした。

新型コロナワクチン接種後の健康被害を訴え、国の予防接種健康被害救済制度で認定された総数は２０２３年11月時点で５０００件以上となり、新型コロナワクチンを除く過去45年間の全てのワクチンの認定数の累計を大きく超えています。うち死亡は３２３件で、その中には若年層の被害者も多く含まれます。彼らは重症化しない病気のワクチンを接種して、死亡という最悪の結果に至ったのです。

ワクチン推奨の医師たちは、なぜ重症化しない若者に危険なワクチン接種を推奨したのでしょうか。忽那教授は、周りの高齢者に感染させない利他目的で打つように推奨しました。いわゆる「おもいやりワクチン」です。しかし、さきほど述べたように、新型コロナワクチンには重症化予防効果はあっても感染予防効果はありません。ですから、この理屈は科学的に完全な誤りです。日本のワクチン政策は明らかに論理破綻していました。

●生物学の常識から外れていったワクチン推進政策

さきほど述べた通り、私はオミクロン株の変異の解析をしていました。ですから、スパイクタンパクに30もの変異があるオミクロン株が出てきたとき、従来のワクチンは効かなくなると思いました。新型コロナのメッセンジャーＲＮＡワクチンは、体内で新型コロナウイルスのスパイクタンパクを作らせて、それに対する抗体を誘導する仕組みになっています。オミクロン株のスパイクタンパクは武漢株から大きく変化したので、武漢株用に作られたワクチンを打ち続けても、オミクロン株に効果があるとは思えません。

例えば、インフルエンザワクチンは毎年流行する型を予測してワクチンを作って打ちます。誰も前の年に余ったインフルエンザワクチンを打ちません。オミクロン株が流行しているのに、武漢株のワクチンを打つのは、去年のワクチンを打つのと同じです。にもかかわらず、ワクチン推進派の医師たちは、最初は武漢株のワクチンを打つことを推奨していました。ところが一転、オミクロン株用のワクチンができると、今度はオミクロン株用のワクチンを打てと言い始めました。それまで言っていたことは一体何だったんでしょう。彼らは支離滅裂というしかありません。

新型コロナワクチンでもう一つ異常だったのが、感染済の人にも打てと言ったことです。

これまで、インフルエンザに罹(かか)った後に、その年ワクチンを打つように勧めたことがあったでしょうか。罹患すれば免疫ができるので、ワクチンは打たなくていいというのがこれまでの生物学の常識でした。ところが、新型コロナワクチンは既に感染した人にまで接種が推奨されたのです。その後、2023年になって既感染者の方がワクチン接種者よりも感染する確率、症状が出る確率、重症化する確率とも低く、かつその低下が持続するという論文が有名医学雑誌「ランセット」に掲載されました。既感染者に積極的にワクチンを打つことの非合理性が証明されたわけです。

●ワクチンを巡る医療産業複合体の闇

結局、日本の新型コロナ対策は、できるだけたくさんワクチンを打つという商業的な目的で全て動いていたとしか思えません。それゆえ、副反応の問題はあまりに軽視され、多くの人が健康や命を失いました。もちろん、ワクチンを打つリスクは、打たないで罹患するリスクとの大小で評価されなくてはなりません。その観点でみても、少なくとも若い人にとっては前者が後者を大きく上回ったことは明らかです。

2021年頃までは、SNS上ではワクチン接種を推進する医師がほとんどでした。とところが、深刻な副反応の報告が増えるにつれ、ＳＮＳの医師アカウントにも慎重論を言う人が増えてきました。

その代表的なアカウントの一つが「内科医の端くれ」という名前でX（旧ツイッター）やニコニコ動画で活躍している若い医師です。毎週1回、「端くれラジオ」という名前でXのスペースとニコニコ動画で配信をしています。毎回雑談から始まるのですが、後半は端くれ先生が読まれた本の解説がされます。

そこで紹介されていた本のうちの2冊が『子宮頸がんワクチン問題――社会・法・科学』と『Turtles All The Way Down: Vaccine Science and Myth（ずっと下まで亀：ワクチンの科学と神話）』です。前者の訳者は別府宏圀（ひろくに）先生で著書『医者が薬を疑うとき』で知られる、スモン薬害訴訟でも活躍された先生です。別府先生は東大出身の神経内科医という点で、私がワクチン副反応の研究会でお話を聞いた医師と共通しています。

この本を読んで驚いたのは、日本でＨＰＶワクチンを推進している人の言っていることがいかに不正確かです。日本では、世界で日本だけが接種を止めていると盛んに喧伝されています。けれでも、この本によると世界中で深刻な副反応が出ていて、デンマークやコロンビアでも接種率が大幅に低下した事実があるそうです。

さらに、この本によるとＨＰＶワクチンには治験にも問題があるようで、本来なら生理食塩水とワクチンを比較すべきところ、アジュバント入り溶液とワクチンを比較する形になっていたそうです。アジュバントとは、生ワクチン（生きたウイルスを弱毒化して打つワクチン）以外のワクチンで、免疫反応を高めるために入れる毒性のある物質です。治験では、アジュバント入り溶液を打った被験者でも深刻な副反応が出た例があるそうです。ですから、ワクチンを打った人がアジュバント入り溶液を打った人に比べて健康被害が少ないからといって、ワクチンが安全とは言えません。正確に安全性を確かめるためには生理食塩水を打つべきなのに、そういう治験になっていないのです。

もう一冊の『Turtles All The Way Down: Vaccine Science and Myth』も、ワクチンの治験の問題が指摘されています。ワクチン一般を評価するとき、そのほとんどは新しいワクチンと既存のワクチンを比較する形になっており、生理食塩水のような中立なコントロールとの比較試験は実施されていないというのです。また、複数のワクチンを同時に接種する場合の安全性も十分検証されていないとのことです。

病気の人にしか投与されない治療薬と違って、ワクチンは健康な人にも打つものです。ですから、保健当局に推奨されて全員に打てるようになれば、それを製造販売する製薬会社は莫大な利益を得ることになります。それゆえ、製薬会社は保健当局者を買収してでも接種を推し進めようとします。実際、『子宮頸がんワクチン問題――社会・法・科学』では、海外のそうした事例が紹介されています。

先ほど触れたＲＦＫジュニアは反ワクチンの陰謀論者としばしばレッテルを貼られます。しかし、彼はワクチンにも普通の薬と同じ基準で治験が行われるべきと主張しているのであって、ワクチン自体に反対しているわけではないと言っています。

●医療産業複合体が打ち出の小づちと狙うLGBT問題

ワクチンから話がそれますが、ＬＧＢＴ問題も実は医療産業複合体に関係していると考えられます。性転換手術をすると、その後、一生薬を摂取し続けなければならなくなるからです。ですから、医療産業複合体にとってはお金の種になります。

最近、アメリカでは左翼活動家を中心に、子どもに対する性転換手術を推奨する動きがあります。しかし１９６０年代後半、ジョンズ・ホプキンス大学の性科学者ジョン・マネーは、生後８か月で割礼に失敗したデイヴィッド・ライマーに対していわゆる性転換手術を施しました。男か女かは社会的に作られるものであって、生得的な差はないという考えのもと、実験的な意味でライマーの手術をしたのですが、結局ライマーは38歳で自殺を遂げます。

このジョン・マネーの実験は、子どもへの性転換手術の危険性を示す古典的な例といえますが、今のＬＧＢＴ界隈は子どものうちに性転換手術をしてもよいと言っています。その結果、「自分はトランス」と誤認した少女たちが乳房切除手術をしたものの、数年後に後悔するといった話もたくさん出てきています。

性転換手術後は一生、ホルモン剤を投与し続けなければならず、性転換手術が増えると医療産業複合体は儲かります。私が性転換手術と医療産業複合体の関係に気づいてＳＮＳで発信したところ、「今頃気づいたのか」という反応を多数いただきました。その界隈では既に常識になっているようです。ＬＧＢＴについてはイデオロギー問題のように見えますが、やはり金儲けの側面が大きいと考えられます。

●日本の事例：ディオバン事件とは

日本人は新型コロナ対策において、医療産業複合体の善意を過信しすぎました。新型コロナの治療や感染対策に関して、医師には利益相反と思われる案件が多くありました。しかし、それを言うと、「善意で新型コロナ対策をしている人々を貶めている」として、激しいバッシングに遭いました。

医療産業複合体が起こした問題は、古くは薬害エイズなどがありますが、最近の事例で大きなものとしてディオバン事件があります。降圧剤のディオバンが、他の降圧剤に比べて脳卒中や心不全を有意に減らすという研究論文が多数発表されたのですが、それがいずれもデータの捏造だったことが明らかになりました。捏造をしたのは「大阪市立大学非常勤講師」の肩書で研究に参加していたノバルティスファーマ（ディオバンを販売している製薬会社）の社員でした。彼には明確な利益相反がありましたが、論文ではその事実も隠されました。

論文は多数の大学病院（京都府立医大、慈恵医大、滋賀医大、千葉大、名古屋大）で書かれていました。当然、これらの大学はノバルティスファーマから多額の研究費を受け取っていました。

データを捏造したノバルティスファーマの社員は薬事法（現・薬機法）違反で起訴されましたが、地裁、高裁、最高裁を通じて無罪の判決が言い渡されました。論文で偽のデータを出して効果を謳うことは、薬事法で禁止された誇大広告に該当しないという理由でした。論文は広告ではないので、薬事法では裁けないという判断です。

●利益相反の不実申告を罰する法律を

新型コロナのパンデミックでは、この司法判断が医師たちの行動に大きく影響したと思われます。明確に広告の形をとらなければ、お金をもらいながら特定の薬に対して有利になるようなウソを発信しても何の罪にもならないことが確定したからです。

ＳＮＳなどで、新型コロナワクチンや治療薬について、医師の肩書を利用して影響力のある情報発信をした人が多くいました。その中には、「私は利益相反がない」と明言している人もいますが、その発言がウソであっても彼らは現行法下では罪に問われることはないのです。製薬会社の立場からすると、インフルエンサーの医師にお金を配って自社の薬にプラスになることを言ってもらうことは、リスクフリーの良い宣伝になります。

利益相反（ＣＯＩ）の隠蔽は、新型コロナウイルスの起源に関する論文でもしばしば見られています。実際、後で論文のＣＯＩの記述に修正が求められたケースもありますが、学術誌側から著者に対して何のペナルティーも与えられていません。主要な学術誌では利益相反の申告を義務付けていますが、ウソをついても何の罰則もないのであれば、利益相反を申告させること自体に全く意味がないことになります。

　私が提案したいのは、医薬品に関して利益相反がないと申告した場合、行政が捜査権をもってそれが事実か否かを調べることができるようにし、その申告がウソだと分かった場合は巨額の罰金を科すことができるように薬機法を改正することです。あるいは、製薬会社に対して、医師（病院）や学者（研究機関）、保健機関への金銭の支払いを全て開示するよう義務付ける立法でもいいでしょう。そういう制度を導入しない限り、医薬産業複合体の腐敗が是正されることはないと思います。

第2章　科学はなぜ壊れたのか

●科学の起源

前章で述べた通り、新型コロナウイルスのパンデミックが露わにしたのは、真理の探求を目的にするはずの科学が、完全に本来の機能を失ってしまっていることです。新型コロナ起源の問題にしても、ワクチンの問題にしても、科学者のほとんどは真理よりもお金や保身を最優先しました。

今の科学の腐敗を議論する上では、本来の科学とは何かを理解しておく必要があります。そのために、まず科学の歴史から話を始めたいと思います。

西洋の科学は神学から始まっています。科学は「神の造った世界はどのようにできているか」を知るために生まれました。実は、地動説を唱えたコペルニクス（1473-1543）も聖職者です。理性に基づいて神が造った世界の真相に迫ろうとした結果、『聖書』とは異なる結論に辿り着いてしまったわけです。

理性に根差して「神が造った世界」の真理に迫ろうというという考え方は、中世の神学者トマス・アクィナス（1225頃-1274）に遡ります。彼は、ギリシア哲学以来の西洋の理性的思考法と、一神教のキリスト教の考え方を融合しました。科学法則は、宇宙のどこでも成立する普遍性を有するものです。そういう普遍性のある法則が存在するはずだという考えは、一神教ゆえの発想です。大学が誕生したのもこの時代です。

それに続いて、近代科学が本格的に誕生する基盤を作ったのが、フランシス・ベーコン（1561-1626）に代表されるイギリス経験論と、ルネ・デカルト（1596-1650）に代表される合理主義哲学です。それらが結びついて、アイザック・ニュートン（1642-1727）以降の近代科学へと発展しました。

ニュートン力学も、もともとは「神が造った世界は非常に単純な美しい法則で表されるはずだ」という信念から出発しました。万有引力は、それぞれの質量に比例して距離の二乗に反比例するという単純な式で表せますが、世界は神が造ったという信念があったからこそ見つけられた、という側面があります。

17世紀後半から18世紀になると啓蒙主義の時代になり、徐々に「神」の色が薄まり、理性中心主義になりました。トマス・ホッブズ（1588-1679）やジョン・ロック（1632-1704）が王権神授説を否定して、ジャン・ジャック・ルソー（1712-1778）が社会契約論を唱えたのは有名です。

●唯我論の萌芽

20世紀になると理性、さらにはこの世界（宇宙）の実在まで否定する思想が生まれます。簡単に言うと、我々が日々観ている世界はバーチャル・リアリティであって、実際は存在しないという考え方です。映画『マトリックス』を観た人なら、それを思い起こすと分かりやすいと思います。

この考え方の起源はデカルトまで遡ります。彼は「デカルト座標系」（互いに直交する座標軸から構成される座標系）で知られているように、数学の分野でも業績のある大陸合理主義の代表的人物です。その彼が哲学分野で残した有名な言葉が「我思う、故に我あり」です。色々なものを究極まで疑っても、今思考している自分の存在だけは疑うことができないという意味です。

我々が日々観ている世界の存在は、証明することはできません。それが存在するという実在論は、実は一種の信仰なのです。科学は実在論を前提にしていますから、その基盤は実在論への信仰であるということもできます。

映画『マトリックス』は、私たちが現実だと思っている世界は全てバーチャル・リアリティだったという話でしたが、これは哲学的な問いとして昔からあるテーマなのです。

哲学分野で、自分の存在のみを信じるという本格的な唯我論に立ったのは、ポストモダン思想です。その萌芽は実存主義哲学者として有名なサルトルとボーヴォワールにあります。ボーヴォワールの「私は女に生まれるのではない。女になるのだ」という言葉は有名です。これは、自分が女と思わなければ女ではないという、まさに唯我論的発想です。

これは今のＬＧＢＴＱ運動にもつながる思考法です。彼らは「私が男と言えば男、女と言えば女だ」というように、自分の気持ちで全てを規定できると考えるわけです。遺伝子など科学的な要素は関係ないという立場です。

現在の左翼思想は、基本的にこの唯我論の立場をとっています。自分の存在しか信じていないので、自分が気に入らないものは全て否定し、気に入るものだけを肯定する。客観世界を信じないので、物理法則も客観的事実も無視します。

左翼思想というと、マルクス主義の唯物論を思い起こす人が多いでしょう。マルクスは「科学的社会主義」のように「科学」という言葉を使用しています。けれども、今の左翼はポストモダン思想の影響を強く受けており、唯物論ではなく唯我論の立場に立っていると考えた方が、彼らの行動をよく説明できます。実際、現在の左派活動家は科学の法則に対する敬意など全くありません（具体例は後ほど挙げます）。

今、世界の先進国エリート層に浸透している「リベラル」と呼ばれる人たちも、マルクス主義者というよりポストモダン左派と捉えた方がよいでしょう。活動の方法論はマルクス主義を真似ていますが、思想そのものは唯我論に近いです。

●真理より自分の損得を優先する学者たち

２０２２年12月、新型コロナ起源問題とポストモダン思想の悪影響を結びつける興味深い対談動画が公開されました。カナダの心理学者ジョーダン・ピーターソンとイギリスの科学ジャーナリストのマット・リドレーの対談です。リドレーが新型コロナ起源についてアリーナ・チャンと共著で本を書いたことは前章で紹介しました。

ピーターソンのモットーは、「Live as if God exists（神がいるかのように生きろ）」です。「神はいるかいないか分からないけれど、いるかのように生きろ」という意味です。神がいるという前提で生きた方が、充実した人生が送れるという考えです。一方、リドレーは啓蒙主義者です。無神論者ではあるものの、客観的真理は存在するという考えの持ち主です。

リドレーは著書『利己的な遺伝子』で有名なリチャード・ドーキンスに師事しています。

ドーキンスは著書『神は妄想である』でも有名で、「キリスト教もイスラム教も宗教のために戦争を繰り返している。宗教があるから戦争があるのだ」と宗教を徹底的に攻撃しています。

この点について、ピーターソンは次のように指摘します。たしかに、ピーターソンの考え方とリドレーやドーキンスのような考え方は、神を信じるか否かでは対立するが、形而上学的な価値を信じている意味では共通していると。形而上とは、形を超えたものという意味で、神もそうですし、真理や正義、あるいは物理法則といったものもそれにあたります。

人格神を否定する科学者も実在論は「信仰」しています。啓蒙主義者は、神の存在は否定するものの科学的真理（法則）の存在は信じています。物理法則の普遍性と不変性は信じているのです。言い換えれば「物理法則＝神」という考え方ですから、そこは宗教に近い部分もあります。

一方、ポストモダンの人たちは、自分の気持ちが全てですから、真理のような形而上学的な価値は一切信じません。だから、ドーキンスは敵を間違えたとピーターソンは指摘します。啓蒙主義者にとって、本当の敵は科学的真理を否定するポストモダン思想のはずだと。

新型コロナウイルスの起源に関する混乱も、科学者がポストモダン思想に毒された結果であるという点で、ピーターソンとリドレーの見解は一致しています。研究所起源を否定したウイルス学者たちは、実際に何が起きたかを追究することよりも、自分の研究利権を守ることを優先したわけです。新型コロナ問題は、ほとんどの科学者が形而上学的な価値を全て捨て去った結果、自分にとって何が得かだけを考えて生きるようになり、真理の探求という科学本来の目的を見失ってしまっていることを露わにしました。

●文系の汚染が理系に拡大

ピーターソンとリドレーの対談で、ピーターソンは興味深い指摘をしています。1990年代ぐらいから、大学の文系学問でポストモダン思想が侵食を始めたとき、いずれこの思想は理系学問をも侵食すると思っていたそうです。そして、それが今現実になっていると。

実は私も2005年に上梓（じょうし）した『学問とは何か』という本のなかで「サイエンス・ウォーズ」（後述）について触れ、左翼がポストモダン思想を押し通していくと、自然科学に悪影響を及ぼすだろうと書いています。

　大学は理系と文系とに分かれていますが、同じ大学という組織ですから、文系の中のいわゆるポストモダン的な思想は自然科学の否定にかかり、方法論自体を侵食していずれ理系にも悪影響を及ぼす。文系のポストモダン的なものについては、今、芽を摘んでおく必要がある。そうしないと自然科学自体の活動がおかしくなると指摘したのです。

　当時の自然科学者たちは、「文系は文系。我々には何の影響も及ばない」と高をくくっていたものですが、ピーターソンと私が恐れていたことは、果たして現実となりました。アメリカの一部では現在、数学を教える際にはジェンダー理論も一緒に教えなければならないといった政策が導入され始めています。その理由は、「数学は性差別的な学問だから」というものですから、もう無茶苦茶です。

　こうしたイデオロギーの介入は、教育の現場だけでなく、研究の現場でも起きています。科学的方法論で導かれた結論でも、それが左翼イデオロギーに不都合であれば、差別的な研究として糾弾されるということも稀ではなくなりました。そのため自然科学の世界はガタガタになりつつあります。

●サイエンス・ウォーズとその余暇

ポストモダン思想と自然科学の軋轢(あつれき)は「サイエンス・ウォーズ」に遡ります。そのきっかけとなったのが、物理学を専門とするアラン・ソーカル教授の論文「Transgressing the Boundaries: Toward a Transformative Hermeneutics of Quantum Gravity（境界の侵犯：量子重力の変換解釈学に向けて）」でした。

１９９６年、左翼のポストモダニストの科学批判が甚だしい頃、ソーカルは試しにポストモダンの思想や文体を真似た意味のない滅茶苦茶な論文を書いて、ポストモダン派の学術誌「ソーシャル・テキスト」に投稿しました。ところが、査読者や編集者たちはそのでたらめさを見抜くことができず、ソーカルの論文を掲載してしまいます。つまり、ソーカルの論文によって、ポストモダン派のいい加減さが明らかにされたわけです。

実は２０１８年にも、ソーカルと同じような「実験」をしたグループがいました。「Grievance studies affair」（不平不満研究事件）と言われるもので、何十本ものでたらめな「もっともらしい」論文を学術誌に投稿したところ、約3分の1の論文が査読を通ったといいます。

今の左翼は科学的事実よりも自分の信じたいことが全て正しいと考えます。ですから、たとえおかしな論文でも、結論が自らの考えと合致していれば掲載し、そうでないものは間違っていると拒絶するわけです。

このポストモダンによる「似非（えせ）科学」を思い起こさせたのが、２０２３年8月の福島第一原発からの処理水放出問題です。これは科学的には全く問題ない対応でしたが、日本では左翼を中心に激烈な反対がありました。その中心人物の一人が社会学者の宮台真司氏です。彼は、Ｘで次のようにツイートしました。

「水素置換が双方向だから濃縮はないとするモデルの前提は、置換の定常性constance。年輪に特異的な濃縮や臓器に特異的な濃縮のデータから推測出来るのは、置換過程の非定常性だ。

ＨとＴの交互置換が途中停止ないし減速、50％確率でＨならぬＴが固定・半固定される可能性だ。

50％でも空間・時間軸上の特異な環境が生体に年輪的に刻まれれば濃縮起点たり得る。」

これは科学的に全く無意味なものですが、小難しい言葉を使って何か高級な話をしているように見せる。サイエンス・ウォーズでポストモダン哲学者がやっていたのと同じことをいまだにやっているわけです。

●ポストモダン左翼が暴力的な理由

科学を無視するポストモダン思想を象徴するのがLGBTQ運動です。Y染色体や男性生殖器をもっていても「自分は女だ」と主張すれば女であるというわけで、自分の考えが絶対という唯我論の典型です。

今のフェミニズムは、サルトルやボーヴォワール、そしてデリダといったポストモダン哲学の流れの中で生まれたものです。とにかく自分の感情、自分が好きなものや自分の欲求を通すことだけを考え、それに反するものは全否定する。物理世界は全部無視というわけです。

結局、フェミニズムが女性を守ると言いながら実は女性の敵になっているのは、自分の感情だけを尊重し、自分が嫌いなものを否定してしまうからです。例えば、女性イラストレーターが描いた〝萌え絵〟を「性的搾取だ」と叩いてイラストの仕事を潰す、あるいは水着撮影に圧力をかけてアイドルを目指す若い女性の夢や仕事を奪うというのは、自分たちの価値観に合った「女性」しか認めないという、ファシズムに近い考えです。

ポストモダン思想に流された文系の学問は、自らの掲げるイデオロギーに否定的な人間をどんどん潰していこうとする傾向にあります。ポストモダン左翼が暴力的になるのは、唯我論に立つので、自分の嫌いなものの破滅を望むようになるからです。「我思う、故に我あり」で、実在を否定するバーチャル・リアリティの世界に生きていますから、自分が世界の王様です。けれでも、現実は自分の思い通りにはならない。だから、自分の思いの実現に障害になる人たちを憎み、その破滅を望むようになる。

ここまで言うと、偏見に基づいてずいぶん極端なことを話しているように思われるかもしれません。そこで、私の見解を裏付ける具体例を挙げてみましょう（この話は前著『学者の暴走』でも紹介しています）。ルービン・リポートというアメリカのインターネット番組があります。番組ホストのデイブ・ルービンはゲイ男性で同性婚もしています。このプロフィールからすると、彼を左翼だと思うかもしれません。実際、彼は元左翼でしたが、左翼の欺瞞（ぎまん）と暴力性に気づき、そこから離れて左翼を批判するようになったという経歴の持ち主です。

２０１８年10月、彼の番組のゲストにオタワ大学の教授ジャニス・フィアメンゴが登場しました。そこで彼女は左翼教授たちの恐ろしさを示す貴重な証言を行っています。彼女はもともとフェミニストとして左翼活動に従事していた人物です。左翼からの転向組という点で、ルービンと共通しています。

番組でルービンはフィアメンゴ教授に転向のきっかけを尋ねました。彼女は2001年の9・11同時多発テロだと答えました。当時、彼女はサスカチュワン大学の教員でした。テロのニュースを見て彼女が動転している中、周りの教授たちはいかにも嬉しそうで、満足気だったのに驚いたそうです。テロが起きてから1時間も経っていないとき、出くわした同僚は彼女の前で「ざまあみろ」と言ったそうです。

自分たちが嫌いな人間が死ぬと喜ぶのがポストモダン左翼です。意見や思想が相反していても、相手が亡くなったらその死を悼むといった感覚はありません。日本でも、安倍晋三元首相が殺されてほとんどの左翼は喜びを隠しませんでした。

日本の左翼に中国シンパが多いのも、中国が日本に軍事侵攻をするのを期待している面が大きいと私は推察しています。もし中国が侵攻してきたら自分らは高飛びして逃亡し、自分の嫌いな日本人がたくさん殺されていくところを外から眺めて楽しむのを夢見ているのでしょう。

彼らが周囲の日本人を嫌いになるのは、王様であるはずの自分に従わないからです。だから、憎むようになる。これはどの国のポストモダン左翼にも共通していることは、北米の大学教授たちが9・11同時多発テロを喜んだことから分かるでしょう。

洋の東西を問わず、左翼知識人にはパワハラやセクハラをする人が多くいます。アメリカではニューヨーク州のクオモ前州知事が有名です。日本でも、鳥越俊太郎氏、広河隆一氏など、セクハラやパワハラで問題になった左派知識人はたくさんいます。唯我論の人にとっては、とにかく自分さえ気持ちよければいいわけですから、そういう傾向が見られるのも当然です。

●「神の目」を意識する科学者

このように、日本もアメリカもアカデミアの世界はポストモダン思想に毒されて悲惨な状況ですが、新型コロナウイルスの起源を追究しようとした人は西洋にはそれなりにいました。さきほど登場したリドレーもその一人ですし、前章で紹介したパリグループに参加した研究者たちもそうです。ところが、２０２１年まで日本にはそういう人間は私しかいませんでした。その違いはなぜ生じたのでしょうか。

今はキリスト教国でも科学者は神を信じていない人が多いですが、「神の目に見られている」という意識は文化的に引き継いでいます。日本人の科学者でも、例えば結婚式のときに「切る」という言葉を忌避したり、受験のときに「落ちる」「すべる」と言わないようにします。これは日本の言霊文化の影響でしょう。このように、意味がない迷信だと分かっていても、その文化の中で育っていれば、それに影響されるのは科学者でも同じです。

西洋の科学者も、神を信じていないかもしれませんが、「神の目」は意識する。人間は騙せても、神の目は欺けないという感覚ですね。これは日本人にはないものです。ですから、新型コロナの起源についても、もちろん騙そうとした科学者もいますが、「神の目」を意識して真理の探求をする人がいたわけです。

日本人は、自分を律するのに神の目ではなく、世間の目を意識します。日本人は世界的に見ても最もルールに従う民族ですが、それは世間の目があるからです。

しかしエリートは、自分たちは世間を欺けると思っていますから、世間の目は抑止力になりません。特に学者は専門性の壁で守られているため、一般人を騙すことに対する抵抗感がないわけです。つまり神の目を意識しない日本の科学者は、世界でも類を見ない大ウソつきなのです。

●日本で誤解されるキリスト教

私は大学で20年以上教壇に立ってきましたが、その中で非常に強く印象に残っている出来事が一つあります。中間テストの答案を採点して返したのですが、授業後に女子学生が近づいてきました。採点が間違っているとの指摘のようです。正解なのに×をつけたのかと思って答案を見たら、不正解なのに○になっていた。私が、それは私のミスだから○のままでいいよと言うと、彼女は「私はクリスチャンなので、それでは困ります」と言うのです。これが神の目を意識して正直に生きるということなのでしょう。

私はクリスチャンではありませんが、キリスト教の考え方からは学ぶべきものは多いと考えています。日本の知識人、中でも特に保守派には、キリスト教に対して否定的な人が多くいます。西洋は一神教だから不寛容で、日本は多神教だから寛容といった主張です。一理あるとは思いますが、さきほども述べた通り、一神教だったから普遍的法則があると信じ、それが科学の礎になったという側面も見逃してはなりません。

●旧約聖書から学べること

私は中学、高校とカトリックのミッションスクールに通いました。日本でキリスト教を布教するとき、新約聖書が中心に使われます。私の学校もそうでした。一方、ジョーダン・ピーターソンはクリスチャンでありながら、新約聖書よりも旧約聖書を重視し、旧約聖書の解説をしばしば行っています。

旧約聖書はキリスト教だけでなくユダヤ教の教典でもあります。アメリカのユダヤ教徒で、保守系論客として有名なデニス・プレーガーやベン・シャピーロも旧約聖書をベースに議論を展開します。

旧約聖書は物語として知っている人は多いと思います。アダムとイブがリンゴを食べて楽園から追われた話は、日本人でもほぼ全員が知っているでしょう。それが人間は原罪を背負っているという性悪説のベースになっていることも、ある程度は知られていると思います。

実は、旧約聖書の他の物語も、その物語で伝えられている本質は何かについての解釈が与えられています。ここでは、シャピーロの解説の一例を紹介しましょう。

旧約聖書には、アダムとイブの話に続いて、その息子たちのカインとアベルが登場します。兄のカインが捧げた農作物を神は喜ばず、弟のアベルが捧げた羊の肉を喜び、その不公平に怒ったカインがアベルを殺してしまい神の怒りに触れ追放されるという話です。これについて、シャピーロはこういう解釈を与えます。

この世の中には、いくら一生懸命いいことをしても報われない人がいます。無垢の子どもが病気や事故で命を奪われることもあります。一方、ろくでもない悪人が栄えているケースもしばしばです。本当にこの世の中は理不尽です。カインとアベルの話は、そういう理不尽も神の思し召しとして受け入れろということだとシャピーロは言います。

旧約聖書の十戒は有名です。モーセの十戒の特徴として、最初の「主が唯一の神である」以外は、全て行動に対する戒律であって、内心の自由は守られていることです。これは近代法の考えや思想信条の自由につながるものです。新約聖書の「情欲を抱いて女を見る者は、心の中で姦淫（かんいん）した」という考え方とは対照的です。

西洋近代思想を考える上では、新約聖書よりも旧約聖書に注目すべき点が多くあるのに、日本では旧約聖書を学んでいる人はあまりいません。

●民主主義の成立条件

現代人が形而上学的な価値を捨て去った結果、壊れてしまったのは科学だけではありません。民主主義も同時に壊れています。

民主主義について、作家の井沢元彦氏が非常に興味深い指摘をしています。われわれは一人一票というのを当たり前として受け入れていますが、実はこれが受け入れられるには前提があると井沢氏は言います。それは神の存在です。人間を個々に見ると、その能力には大きな差があります。にもかかわらず、全員に平等に一票ずつ与えるのは、絶対神を前にすれば、個々人の差など微々たるものだと見なせるからです。

日本の場合、キリスト教のような絶対神がなかったので、天皇をその座に据えることで一人一票の民主主義を根付かせることに成功したというのが井沢氏の解釈です。たしかに世界を見ると、民主主義がそれなりに根付いたのは、キリスト教国と日本、そしてイギリスの統治を受けた香港、日本の統治を受けた台湾、韓国ぐらいです。

井沢氏は、中国は永遠に民主主義国にはならないだろうと述べています。その理由は、絶対的に上に君臨するものの存在を置けないからです。皇帝は易姓革命で挿げ替えられる存在で、万世一系の天皇とは大きく異なります。だから、中国では一人一票ではなく、科挙で優秀な成績をとった人物を登用して政治にあたらせるわけです。中国共産党支配になっても、その基本的な考え方はあまり変わっていません。

●民主主義と人権の崩壊

立派な民主主義国家を作り上げた西洋諸国ですが、今それが崩れようとしています。アメリカで民主党政権がトランプ大統領を起訴して選挙に出られないようにしようとしているのはそれを象徴します。権力を乱用して政敵を追い落とすのは、民主主義が成熟していない発展途上国でしばしば見られたことですが、それが民主主義の先頭に立ってきたアメリカで起きているわけです。

アメリカでも民主主義が崩壊しているのは、アメリカ人のキリスト教離れと大いに関係しているというのが私の見立てです。さきほど述べた通り、神がいるからみな平等なのです。民主主義も法の下の平等も、キリスト教の精神に支えられてきました。それが壊れてしまえば、民主主義を尊ぶ精神も失われます。

実は人権思想もその基盤はキリスト教（およびユダヤ教）にあります。人権思想は、旧約聖書にある「神は自分に似せて人を作った」を根拠にしています。神に似せて作られた人間だからこそ、その存在は尊重されなければならないという考えに至るわけです。

アメリカで人権の崩壊を象徴するのが妊娠中絶問題です。妊娠中絶をどの時点まで認めるかは、国や州によって異なりますが、一定の限度を設けているのが普通です。ところが、この制限の撤廃を求める左翼運動が勢いを増しています。その結果、２０１９年1月、バージニア州とニューヨーク州で出産直前までの中絶（late-term abortion）のハードルを下げる法案が提出されました（後者は可決）。そこで議論になったのが、中絶手術に失敗して生きたまま出てきた場合はどうするかということです。左翼運動家たちは、その場合は殺していいということまで言い出しているのです。これは明らかに殺人の容認です。

人権思想の根拠である「神は自分に似せて人を作った」が捨て去られれば、自分に邪魔な人間は殺し放題です。「胎児は自分にとって邪魔だから殺していい」の次は、生まれてきた子どもも殺していい、さらに邪魔な人間は誰でも殺していいとエスカレートしていきます。そんな社会に人権などもうありません。

●中国化する先進国

人権のない国といえば、中国や北朝鮮を思い起こす人が多いでしょう。私は、今の欧米をはじめとする先進国で起きていることは、「中国化」だと思っています。現在、先進国では宗教の衰退と学歴社会化が進んでいます。宗教がなく、学歴を重視するというのは中国のスタイルそのものです。

アメリカでも学者や民主党議員などのいわゆるリベラル系の知識人は、選民思想を強くもっています。宗教色も弱く、無神論者の割合が多いです。政治家の場合、票のためにクリスチャンを装うことが多いですが、民主党系の人は基本的にほぼ全員妊娠中絶賛成であることを思い起こせば、彼らがキリスト教の教えを真面目に信じていないことはよく分かると思います。神を信じず、選民思想でエリートが社会を治めればいいという考え方は、中国の伝統的考え方と非常に親和性が高いのです。

一方、共和党の人は敬虔(けいけん)なクリスチャンが多く、真実や民意を重んじます。新型コロナウイルスの起源問題でも、それを徹底追究しているのは共和党の議員たちです。

もちろん、民主党内でも例外はいます。それが前章で紹介したロバート・Ｆ・ケネディ・ジュニアです。ケネディ家は政治一家ですが、ある一族が代々、政治家として社会のリーダーとなることを現代日本は批判的に捉え、名家の出は攻撃の的にされます。

安倍元総理も、首相経験者もいる政治家一族の出であることがマイナスに評価されることが多くありましたが、ノブレス・オブリージュ（貴族や上流階級出身者が果たすべき社会的責任）の意識が強いプラスの側面もあったと思います。これはケネディ家も同じです。

勉強しかできない人間には、社会に対する責任感はほぼ生まれません。競争で勝ち抜くために自分が他人を出し抜くという価値観で勉強や仕事をする人ばかりで、世の役に立とうと思っている人は稀有です。

例えば、アメリカのウイルス学者は、自分たちが教えた技術で中国が作ったウイルスによって700万人が死んでも全く心を痛めることはないようです。だから自己の利益を守るためいかにウソをつき通すかだけを考えるわけです。

●社会の役に立つ気のないエリートたち

学歴エリートはなぜ利己的になるのでしょうか。日本のお勉強エリートたちを思い起こしてみてください。彼らは子どもの頃、親に褒められるために嫌いな勉強をしてきた人たちです。いい成績をとれば親に褒められ、何かご褒美をもらえるわけです。それで、「嫌いな勉強を我慢してやって大学に行ったのだから何かいい目に遭うべきだ」という思考になります。

それからもう一つの特徴として、親にずっと媚びてきたため、権威や権力に媚びる体質になっていることです。アメリカのみならず日本のエリート層もアンソニー・ファウチ(前章参照)を崇めていますが、ファウチはパパやママの代わりと考えれば彼らの行動原理は理解できます。パパやママに褒められるために勉強してきたので、パパやママ代わりのファウチ、つまり権力や権威に迎合する体質が身に沁みついているのです。

「お上が示す言動は正しい」ということを体が覚え込んでいて、疑うことをしないため、新型コロナ発生の起源についてもワクチンについても、お上の言うことをそのまま鵜呑みにして信じてしまいます。アメリカも日本も、そうした人たちが社会の中枢になっている、ということを忘れてはなりません。

SNSを見ると、医師のなかにも「おれは医学部に入って医師免許を取るためにたくさん勉強してきたんだから偉いんだ」という物言いをする人が多くて驚きました。こうしたメンタリティの受験エリートが上層部で跋扈（ばっこ）しているために、社会が悪くなっているのでしょう。

●勉強したことを社会の役に立てたい

もちろん、好きで勉強している人もごく少数います。私自身も、親に褒められるために勉強したわけではなく、単に勉強が好きでやっていました。面白くて勉強しているので、それに対して報われるべきだという気持ちはまるでありません。むしろ、勉強が好きでそれなりに色々ポテンシャルがあるのに世の中のために何の役にも立っていない、何か役に立たなければ、という思いがずっと強くありました。

勉強ができるというだけでは、世の中のために何のプラスにもなっていません。勉強で身につけたことを使って世の中のために何をするか、が重要だと思っているので、全然役に立てていないということに負い目のようなものがあったのです。

私が日本の科学者で唯一、新型コロナの起源を追究したのは、世の中の役に立ちたいと思ったからです。日本に誰一人味方がないことをやるわけですから、勇気は要りました。でも、世界で７００万人の命を奪った原因が、ウイルス学者の研究活動だったとしたら、これは大変なことです。さらに、ウイルス学者の危険な研究は今も変わらず続いている。これを止めることで、次の人工パンデミックによって何百万、何千万人もの命が再び失われることを防げます。

私は唯我論者ではなく、実在論者です。世界の80億人の人たちが、みな私と同じ心をもった存在だと信じている。だから、私の命と数千万人の命を比べたとき、後者の方が遥かに価値が高いと考えます。

私が本当に役立ったといえるのは、ウイルス学者の危険な研究活動の規制と管理が実現したときです。ただ、これまでの活動を通じて、その目的地に向かうための下地作りには貢献できたのではないかと思っています。危険な研究活動を止めるため、今後も命ある限り邪悪なウイルス学者たちと戦っていくつもりです。

●なぜエリートは弱者をバカにするのか

一方、今のほとんどのエリートは、そもそも社会に貢献するという価値観をもちあわせていないと思われます。これは世界全体、特に先進国に共通していえることです。

例えば医師、弁護士、公認会計士などの国家資格取得者は、頭のいい人たちだとは思いますが、収入が高いからそれらの仕事についた人がほとんどでしょう。そもそも、今の学校教育では社会貢献を是とする教育はほとんど行われていません。偏差値の高い高校は、どこの大学に何人入ったという数値を競っています。学歴エリートを輩出する家庭も、いい大学へ行っていい就職先に勤めて高給取りになればいいという価値観で子どもを教育しています。

だから、患者のことより金儲けを優先する医師が大量に生まれる。危険な副反応が分かっていても、「このワクチンは効きます。安全です」と言いながら打ち続けるわけです。

さらに「あなたとあなたの大事な人のためにワクチンを打ちましょう」「社会のためにワクチンを打ちましょう」という綺麗ごとを重ねて、金儲け優先という自分の邪悪な意図を隠そうとします。

こういうやり方は医師に限ったことではありません。大企業も同じです。これまで散々ジャニーズ事務所のタレントを広告に使ってきた企業が、いきなり人権に配慮して起用を控えるという。そもそも、ジャニー喜多川氏の少年に対する性虐待は今までも公然の秘密だったわけで、それが社会問題化してから人権を言い出すのは卑怯そのものです。

本気で人権を言うなら、ウイグル人を弾圧している中国とのビジネスを今すぐ止めるべきですが、日本の大企業のほとんどは今でも中国とビジネスを続けている。経営上マイナスにならない限りは、彼らはどんなに中国が人権弾圧を続けても、中国ビジネスを止めないでしょう。

政治家は政治家で、外国の首脳のご機嫌取りはするが、国民には冷たい。基本的に、医師も経営者も政治家も、強い者に従い、弱い者はバカにする。それこそが学歴エリートの特徴なのです。

なぜ、彼らはそういう行動にでるのか。これも彼らが育った教育環境によるところが大きいでしょう。さきほど述べた通り、お勉強ができるエリートはパパとママに褒められることを目標に生きてきたわけです。医師の場合はパパとママの代わりがファウチだったわけですが、大企業の経営者の場合はそれが中国、政治家の場合は外国の首脳に当たります。だから、彼らに褒められようと必死になる。

一方、進学校には成績の悪い生徒をバカにする文化があります。それを大人になっても引きずっている。だから医師は患者をバカにし、政治家は自国民を苦しめる政策を採用するわけです。

世界大学ランキング、都道府県魅力度ランキング、ジェンダーギャップ指数などに振り回されるのも学歴エリートの習性を反映したものです。成績の数値を上げることばかり考えてきたから、そういういかがわしい数値指標でも、とにかく数字を良くすることが正義になる。その指標自体の妥当性は疑わないわけです。

●コネと作為的な論文の引用数稼ぎのどちらがマシか？

この数値絶対主義は、アメリカでも酷いようです。私の知る若い研究者の一人はアメリカでポスドクをしているのですが、そこのボスはとにかく論文が引用される回数を増やすことばかり考えているといいます。レビュー論文（過去の研究をサーベイしてまとめる論文）の方が、オリジナルの研究を論文にするよりも引用されやすいので、そういう論文を積極的に書いて引用数を稼ぐといったことも行われているそうです。

中国も科挙の伝統があるだけに、この数値至上主義は激しいです。中国は今、自分たちで盛んにジャーナル（学術誌）を作り、お互いに論文の引用をして引用数を上げる、ということを必死にやっています。論文は引用された数が多いほど、研究者から信頼され注目されていることになるからです。そのために中国は論文を粗製乱造して引用し合っているわけですが、中国の論文を読むとデータの数字が不自然なものにしばしば遭遇します。自分の提案手法が、どの評価基準でも従来手法より少しずつ良くなっているといった、統計的に起こる確率が非常に低い結果が掲載されている論文がよくあり、結果の数値が操作されている可能性が高いと思われます。そうやってデータを改竄（かいざん）までして論文を有名学術誌に掲載させようとするわけです。

日本では最近、トップ論文が減っていると言われますが、それは日本人がそこまで露骨に引用数を上げようとしないからでしょう。日本は学術的な実績ではなく、基本的に好き嫌いで人事をするため、上のご機嫌を取っていれば出世できます。論文引用数が非常に多い人が採用されなくても、アメリカのように裁判沙汰になりません。

そもそも、日本では学位がなくても大学で教鞭をとることができます。文部科学省の前川氏が天下りの道を拓き、学位をもっていないマスコミ人が大学教授として天下りしやすくなりました。かつて天下りをさんざん批判していたマスコミも、最近は一切批判しなくなりました。現金なものです。

日本は好き嫌いやコネで人事が決まる社会ですから、学位を取得したりたくさん引用される論文を書いていても、結局は学術的実績はないがコネはあるマスコミ出身者に大学教授の職をさらわれるのです。いい論文をたくさん書いても上から嫌われれば芽が出ない社会ですから、数字を上げるモチベーションは生まれません。

日本の大学はまさに情実、温情で、つながりの有無、太さが出世の最大の要因です。もし日本もアメリカのように論文の引用数を上げたいのであれば、数字に基づいた評価にすればいいのです。そうすればみんな数字を上げるために必死になるでしょう。

アメリカの学生がなぜ学位の取得を目指すかというと、人種差別に対抗できるからです。学位があれば、「学位のあるマイノリティの私ではなく、学位のない白人を採用するのは差別だ」と訴えられるわけです。論文の被引用数を上げるのも同様です。アメリカは訴訟社会ですから、明確な指標があれば裁判を有利に進められます。

しかし、それが果たしてよいことかどうかは分かりません。温情やコネばかりもよくありませんが、意図的に数字ばかり上げようとすることも感心できるものではなく、難しいところです。

●科挙の名残りが強い中国と韓国

科挙の伝統が根強く残る中国や韓国は、欧米よりさらに成果主義が極端な気がします。オリンピックやノーベル賞、国際数学オリンピックや国際物理オリンピックの受賞を非常に気にする国が中国と韓国で、両国は世界的に有名な賞を欲しがる文化といえるでしょう。競争して勝つと手に入れられる、シンボリックなメダルを欲しがるのです。

私がいつも感じるのは、例えば韓国は強い競技種目が限定されていることです。自分たちがメダルを取れそうな種目しか力を入れません。中国や韓国は、メダルを取るためにスポーツをやる傾向が強く、国をあげてメダルに近い競技を強化しています。

逆に日本はそうした傾向はなく、中韓であまりやらないアメリカンフットボールもやります。ラグビーも強くなってきました。ラグビーの場合、外国人選手が多いということもあるでしょうが、日本では、「どのスポーツをやればメダルが取れそうか」ということを考えず、個々が好きなスポーツをやって結果を出しているのが素晴らしいところです。

そういう点が中国や韓国と比較して日本の長所だと思っていましたが、今では日本も、中国・韓国化しているのではないでしょうか。例えば雑誌などはしばしば「東大合格者数の多い高校」という特集記事を組みますが、そうしたことにこだわるのは、非常に中国・韓国的だと思います。甲子園や箱根駅伝など、目立つスポーツに偏重して力を入れるのも同様です。

学術分野でも、日本人はノーベル賞を取るために特定の分野の研究者を育てるという姿勢ではなく、研究者がそれぞれやりたいことをやって、結果としてノーベル賞を受賞するような研究がなされてきたのです。逆に国が「ノーベル賞の数を増やそう」と目論んで動くと、マイナスになると私は思います。

日本は伝統的に、科挙で選ばれた官僚ではなく武士、藩主が支配していて、いい人材を育てるために学業や修身を学ぶ場である藩校などを運営し、そこで見込みのある者を取りたてる文化がありました。そうした伝統がスポーツ分野にはまだ残っているような気もしますが、学問の世界は悪い意味でかなり「中国化」が進んでいます。

日本は渋沢栄一の言う合本主義のように、公益のために資本や人材を投入する思想がありました。古のヨーロッパもそうで、勉強だけできる人たちに社会全体のことを決めさせてはいけないという知恵がありました。しかし今や日本も欧米も、中国のように学歴社会化が進んでしまった状態です。

●試験の点数と科学的な発見は関係ない

私は大学人ではありますが、大学偏重は社会にとってマイナスだと思っています。日本人のノーベル賞受賞者は、最近は民間企業出身者も多く、例えば、青色発光ダイオードの中村修二教授は日亜化学、リチウムイオン電池の吉野彰先生は旭化成、ソフトレーザーによる質量分析技術を開発した田中耕一さんは島津製作所の仕事でノーベル賞を受賞しました。

日本と中国の科学技術の大きな違いは、日本は民間企業での研究開発の割合が多い点です。しかし現在、日本の民間企業はかなり弱体化しており、研究開発に回す予算が減っています。大学の研究費削減より、こちらをより憂慮すべきでしょう。

中国の企業が研究開発を全然行わないのは、大学の教員が外国で技術をパクってきて、それを企業に伝えているからです。盗むだけですから自分たちで研究開発する必要がないのです。もちろん、中国や韓国も、トップレベルの人たちは非常に優秀で、日本に来ている留学生でも優れた人がたくさんいます。

逆に日本は、平均は高いけれども分散が小さいため、トップレベルを比較すると、中国や韓国に見劣りする気がします。しかし私は、自分たちだけで開発できない中国と韓国を意識しすぎる必要はないと考えています。

また、研究開発を一人の天才が拓いていくというケースはアインシュタインやフォン・ノイマンの時代くらいまでで、今は総合力に負う部分が大きくなっています。

さらに、天才的な能力をもつ個人が科学に貢献するとは限りません。東大には各学年に全国模試で毎回トップをとったような有名人がいますが、そういう人が目立った研究成果を上げたという話は聞きません。日本のノーベル賞受賞者も、大学時代ずば抜けた天才だったというわけではありません。受験勉強や試験で問題を解くことと科学的な発見をすることとは、実はあまり相関がないのです。

●消えた諸葛孔明的人物

今は産業に結びつく研究がもてはやされており、基礎研究は蔑ろにされていますが、私はそれでいいと考えています。

もともとは、私も基礎研究は大事だと思っていました。一見役に立たないように見える基礎研究者も、いざという非常時の際には、その知識を使って社会の役に立つことがあります。ある意味、非常時に備える〝遊び〟の部分が基礎研究といえます。ところが、今の基礎研究者にはその実力が全くないことが、新型コロナウイルスのパンデミックで明らかになりました。

1章で述べた通り、新型コロナウイルスが不自然なウイルスであることは、長い間生物学を離れていた私でも理解できることでした。ですから、生物学の基礎研究をしている研究者たちが自らの専門知識を使って、「新型コロナは研究所起源の可能性が高い」と指摘するのではないかと期待していたのです。ふだんは楽しいからという理由で趣味の感覚で研究していても、有事の際はその知識を活用して世の中の役に立つのが学者で、そういう人たちに国の税金が使われていると信じていたのです。

ところが結局、この〝いざ〟というときにも、彼らは自分の専門性を全く機能させることができませんでした。今の日本の学者は基礎研究も含め、みんな腐っていてレベルが低いということが露呈してしまいました。

平時は遊んでいるように見えても膨大な知識を蓄えており、いざというときにはそれを生かして活躍する人物というのは、歴史を遡ると容易に見つけることができます。『三国志』の諸葛孔明や龐統、徐庶などは勉強しながらも好き勝手に遊んで暮らしていましたが、劉備玄徳が三顧の礼をもって迎えると、劉備のため、国のためにさまざまなサジェスチョンを行いました。これまで中国に批判的なことを言いましたが、中国が科挙を導入したのは隋の時代で6世紀です。それより前の時代は、中国にも本当の意味での教養人がいたわけです。

あるいは小説の登場人物として思い出されるのが夏目漱石著『三四郎』の広田先生です。一高の教師でかなりの物知りですが野心がなく、日露戦争に勝利して日本が浮ついたイケイケムードの状況においても、「（日本は）滅びるね」という、俯瞰した視線をもった人物です。有事に広田先生のような広い視野の人材を登用すれば非常に役に立つと思います。そういう人物が本当の教養人であり、学者であると私は思っていました。

しかし結局、今の時代には諸葛孔明も広田先生もおらず、レベルの低い学者が税金で本当に遊んでいるだけだったことが分かったのです。非常時にも何の役にも立たない人ばかりで、現代の諸葛孔明など存在しなかったということです。

●教養あふれるアメリカの知識人層

今のいわゆる知識人は、知的好奇心で色々調べて得た知識を、いざというときに社会のために使うというポテンシャルなどありませんでした。大学も税金で何か研究らしきことをしているにすぎないというところにまで落ちぶれてしまっていたわけです。

昔は旧制高校から大学に進学する人などほんのわずかで、本当に勉強のできるごく一握りの人たちが学問をしていました。今は知的に優れていなくても大学生にも大学教授にもなれますから、真の教養人が大学からいなくなっているのです。

一方、アメリカの知識人層は、日本の知識人層に比べると、今も教養にあふれています。例えば、私はある学会の国際会議のコミッティー・メンバーを10年くらい務めたことがありますが、そこで開催時期に関する議題がありました。それまで1月に行っていた会議を3月にしようかという話が出たとき、アメリカ人のあるメンバーが、「3月開催に反対するとしたら、ジュリアス・シーザーだけだろう」と言いました。3月はシーザーが殺された月だからなのですが、こうしたエスプリの効いた、ウィットに富んだ発言を工学の専門家がするわけです。知的な遊びができる知識と余裕があるのです。

●教養部のメリットとデメリット

昔は、日本の理系の学者でも知的な遊びのできる人がいました。『雪は天からの手紙』（岩波書店）いう本を書いた、雪の結晶の研究をした物理学者・中谷宇吉郎などはその代表例でしょう。中谷が師事していた寺田寅彦も含め、昔は理系の研究者でも文系のたしなみもある人物は少なくありませんでした。今では日本の理工系の学者にそういう人はなかなか見当たりません。

アメリカやヨーロッパは大学でリベラルアーツを中心に教育をしますから、このような会話を成り立たせる教養を身につける機会があります。日本は高校2年生から文系と理系に分かれるため、理系の人は文系の教養がありませんし、文系の人は理系の基礎知識がまるでありません。そのため、文系の人はエネルギー問題で頓珍漢な発言をするわけです。高校の物理と化学が理解できれば自然エネルギーの話（詳しくは3章で述べます）に騙されないのですが、まんまと騙されてしまう人が多いのは、基本的知識が不足しているからです。

私は、知性や教養を全般的に身につけるのが本来の大学の姿だと思っていますが、今の日本の大学は教養教育が軽視され、専門知識だけを詰め込む職業訓練学校になってしまいました。

もちろん、欧米の大学の教養教育も劣化が激しく問題になっています。かつて文学、歴史、哲学などを教えていたリベラルアーツ教育が、完全に左翼教員に支配されてしまって、イデオロギーによって学生を洗脳する場所となっています。ですから、今後は欧米のエリートの教養レベルも落ちていくように思います。

●シベリア抑留もチャーチルも知らない学生たち

かつて、日本の大学の教養部も完全に左翼に牛耳られていました。ゆえに、教養部をなくすことで学生が左翼思想に染まらなくなったというメリットはありました。麗澤大学のジェイソン・モーガン准教授は、その点で「日本にはまだ希望がある」と高く評価しています。たしかに、少なくとも理系に関しては日本の大学はまだ左翼に乗っ取られていません。

左翼思想に染まっていないことはいいのですが、それでも教養が驚くほど欠けている実態は決して看過できるものではありません。

例えば、私は情報ディスプレイの研究もしていて、そこでは台湾の研究者との交流もよくあるのですが、日本の学生にかつて台湾が日本の領土だった歴史を知らない人が多くいて驚いたことがあります。

理系の学生は入試の社会科で地理を選択する学生が多く、高校で歴史をまともに勉強していない人がほとんどです。当然ながら、シベリア抑留も天安門事件も知らず、「シベリア抑留」に至っては「シベリアで見つかった翼の生えた恐竜（翼竜）の化石ですか」と答えるような笑い話のレベルで、本当に何も知らないのです。

もう一つ印象に残っているのは、授業を受けていた学生が誰一人としてウィンストン・チャーチルを知らなかったことです。それは自然言語処理（コンピュータに人間が使う言語を理解させる分野）に関する講義での出来事でした。

チャーチルは第二次大戦回顧録のなかで、「日本語というものがやっかいで、不正確なため「信号通信に変えることがむずかしい」と書いています。日本語の特徴を解説するつもりでこの話をしたのですが、反応がよくありません。「あれ？　チャーチルは知ってるよね?」と言ったら、40人くらいの学生の1人もチャーチルを知らなかったのです。

●研究マインドをもたない学者と学生

教養の欠如と並んで、もう一つ心配なのが好奇心の欠如です。未知なるものへのアプローチの仕方を分かっていない。未知のものに対しては、「勉強」ではなく「研究」マインドを働かせることが必要です。

今回の新型コロナウイルスも人類にとって未知のものでした。だから、ワクチンの有効性やウイルス発生起源などについて研究マインドでアプローチする必要があった。ところが、受験勉強マインドで対抗しようとする人が非常に多かったのです。

特にそれが顕著だったのが医師です。多くの医師たちは、アメリカのCDCが言っているから、有名学術誌の論文に書いてあるから、ファウチが言っているから、というように権威に盲従する態度を示しました。

医学部の大学入試も医師国家試験も暗記で対応できますし、治療も普段はマニュアル通りにやります。既に分かっている病気に関してはそれでいいかもしれませんが、新型コロナウイルスなどの新しい病気については、対処法は教科書に載っていません。それでどうするかと思ったら、ＣＤＣ、ＦＤＡ、ＮＩＨといったアメリカの政府機関が発表する指針を鵜呑みにするだけで、自らの頭で考えようとしませんでした。結果的に、政府の指針には間違っていたものも多くありました。

新型コロナウイルスは未知なるものですから、権威が常に正しいとは限りません。「彼らの言っていることはひょっとしたら間違っているかもしれない」と考え、自ら情報を集めて検討する姿勢が、日本の医師にはほとんど見られませんでした。結局、日本の医学部も単なる職業訓練学校にすぎないということが、今回のコロナで明白になりました。

もちろん、それは仕方ないことかもしれません。多くの医師は現場の仕事で忙しく、独自の分析をする時間がとりにくいことは私も理解します。ただ、問題なのは、権威の情報発信が間違っている可能性があることを、全く想定していなかったことです。なのに彼らはなぜか自信満々でした。新たに生じた未知の現象に対して、人類はまだ十分理解していないという謙虚さが著しく欠如していたのは問題でしょう。

●高学歴社会が生む使命なき医師たち

アメリカの場合、大学４年間が教養教育で、医学部へ行く学生は大学院でメディカルスクールを選びます。つまり、大学院でロースクールやメディカルスクールを選択するわけで、大学入学時点ではまだ進路は決まっていません。医学部に入る前に、広い学問分野に触れる機会があります。

一方、日本は18歳で医学部に入学して、すぐ専門教育です。その分、アメリカの医師に比べると視野が狭くなっているのではないかと思います。さらに、多くの高校生は人の命を救いたいから医学の道を選ぶわけではありません。「偏差値が高いのが医学部だから」「医師は収入が安定しているから」「親が医者だから」という理由で医学部へ進学する学生がかなり多いのが現実です。

医師になれば、収入も世間からの評価も高いですから、成功者の仲間入りです。本来は医学以外の研究をした方が社会で活躍できる才能を秘めているのに、将来が約束される医学部を目指すという、日本の医学部信仰があるわけです。

未知なるものへの探求心、好奇心があるわけではなく、人の命を救いたいという意識もまったくない人が医師になるというのはやはり問題だと思います。

今回のコロナでも、政府は圧力団体としての医師会におもねるようなお金の使い方をかなりしました。病床数と患者数のアンバランスで、赤字経営の病院の多くが黒字決算をしたほどです。お金儲けのために医師になった人たちは、大満足なのではないでしょうか。

ちなみに、1章で話した広島での研究会は広島県の医師会館が会場でした。1階のフロアには自民党議員のポスターがところ狭しと貼られており、なるほどこういうことかと腑に落ちました。

●東大・京大医学部出身者に注目

医師の中で、視野が広いと思わせる人たちを探すと、東大や京大の卒業生が多いことに気づきました。1章で紹介したワクチンの副反応問題に取り組んでいる神経内科医は二人とも東大医学部卒業です。私が最も尊敬する日本の知識人である養老孟司先生もそうです。

2023年9月、養老先生、茂木健一郎氏、東浩紀氏の三人の対談をまとめた『日本の歪み』（講談社刊）という本が出版されたのですが、1章で扱った新型コロナウイルスの起源について、こんな対話が収録されていました（221-222頁）。

茂木：今回のコロナでは、感染症予防学もおそろしく政治的な学問だということが分かりました。

養老：コロナウイルス自体が政治的だからね。発生源とされる武漢の研究所は、建てたのは中国政府ですが、技術指導はフランスです。危険なウイルスを扱うＰ４実験室（ＢＳＬ‐４実験室）を作ろうとすると、どこの国でも住民から反対運動が起こる。だから中国に作られた。でも中国でそんなことしたら漏れるに決まっている。

茂木：養老先生は武漢の研究所から漏れた説に蓋然性が高いと思われていると。

養老：そのあたりが本当のところじゃないかと思っています。武漢の研究所には、米国立アレルギー感染症研究所所長であるファウチが資金提供していたという報道もありましたし、一時、中国でコロナはアメリカ製のウイルスだと騒がれていたのも、あながち無根拠じゃないんだと思います。コウモリから感染ったという説もありますが、そんなもんだったらとうの昔に流行っていたはずです。

権威に盲従する医師は、「ネイチャー・メディスン」で天然起源だという論文が出たら、それをそのまま信じる。でも、養老先生は自分で情報を集めて、自分で常識を働かせて考えるわけです。

若い人でも、東大や京大の医学部出身者で、私が注目している人は何人かいます。東大卒でいうと大脇幸志郎さん。大学を出た後、しばらくフリーターをしていたという異色の経歴の持ち主です。過剰医療問題について鋭い分析をしていて、大変参考になります。それから、宮古島で眼科医をしている幸村百理男（もりお）さんも東大出身です。この方はユーチューバーもされており、その動画は考えさせられる内容のものが多い。このお二人に共通するのは、自分なりの哲学を感じさせることです。

京大卒でいうと精神科医の東徹さん。この方は薬剤師に処方権を与える運動をされている。ほとんどの医師は自らの特権を守ろうとしますが、その逆を行っているわけです。そういう意味で、非常にユニークな方です。

東大や京大の医学部は、勉強ができるから偏差値の最高峰を目指すといった人が多いという印象を私はもっていましたが、新型コロナウイルスのパンデミックで、他大学の医学部出身よりも視野が広い人が多いことに気づきました。

日本の医学部は医大が多く、総合大学でも医学部はキャンパスが別のことが多い。だから、大学時代から医師の世界以外を知る機会が少ないわけです。東大や京大は医学部も他の学部と同じあるいは隣接するキャンパスにあり、他学部の学生と交流しやすい。さらに、東大や京大の場合は他学部に自分より優秀な人間もいます。東大も合格最低点が一番高いのは理科三類（医学部に進学するコース）ですが、理科三類に入れるぐらいの成績があっても理科一類（物理系）に行く学生もそれなりにいます。だから、医師は特権階級という感覚が他大学の医学部出身者よりも生まれにくいのかもしれません。

それから、東大は一応最初の2年間は教養学部で教養教育をします。それが少しはプラスになっているのかもしれません。最近、日本の医学部は専門教育を早期から詰め込む方向に行っていますが、新型コロナでの医師たちの振る舞いを見て、逆に教養教育を手厚くする必要があるのではないかと私は思っています。

第3章　日本が科学に向かない理由

●日本人らしさを生んだ環境

前章で述べた通り、科学の腐敗は世界規模で進んでいますが、それでも海外では少なからずの科学者が新型コロナウイルスの起源を追究しようとしました。一方、日本ではパンデミック勃発から最初の2年間、この問題に取り組んだ科学者は私一人でした。それも、その私は生命科学者ではなく、情報工学を専門にする人間だったのです。なぜ、そういう事態になったのでしょうか。批判を浴びるのを覚悟で言うと、そもそも日本人は科学に向いていないのではないかと私は思っています。

この話をするには、日本の風土、伝統といったものから議論を始める必要があるでしょう。これは土木学者の大石久和先生がよく言われる話ですが、日本は島国であるがゆえに、外敵から国土に攻め入られた経験がほとんどありません。第二次世界大戦の前は元寇まで遡らねばなりません。その一方で、日本は台風や地震、火山の噴火といった大きな自然災害にたびたび見舞われてきました。今の技術なら、被害を軽減する術はありますが、昔の技術ではこうした自然災害に対抗する手段はほとんどありませんでした。

そこで生まれたのが、そういうことは考えないようにする文化です。不吉なことを口にすると、それが起きてしまうという「言霊思想」が日本にはあります。もちろん、これは明らかに非科学的な考え方です。では、なぜ日本でこういう文化が生まれたのでしょうか。私が想像するに、地震や台風で築いてきたものが水の泡になってしまうのを思うと、こつこつ努力するのがバカバカしくなってしまいます。だから、悪いことは考えないようにする。大地震や壊滅的な台風はそう頻繁に来るわけではないので、それである程度の年月はやり過ごせる。

もちろん、考えないようにしても、いつかは大規模な自然災害に遭遇します。そうしたら、今度はそれを「水に流す」わけです。いやなことは忘れて、また一からやり直す。東日本大震災の津波で壊滅的な被害を受けた中で、老人が「またやり直せばいい」と前向きにテレビインタビューに答えていたシーンが話題になりましたが、まさにそれです。

●大陸で生まれる合理的思考と復讐心

一方、陸続きであるヨーロッパでは、最大の脅威は異民族の侵略です。相手は人間ですから、その行動はある程度予測できます。一生懸命考えれば、異民族を打ち負かす対策が立てられるわけです。それゆえ、戦略的そして合理的思考が生まれる。

また、異民族は人間ですから、威嚇することは侵略の抑止につながります。強力な威嚇手段の一つは、復讐心をもつことです。やられたらやり返す。そうした強固な意志を発信し続け、「やられたらそれ以上やり返す連中だ」と周囲に認識させれば、攻められるリスクを減らせると戦略的に考えるわけです。

こうした傾向は歴史的にも見られるものです。アメリカであれば「リメンバー・パールハーバー」が有名です。中国も大陸国家ですが、古くは臥薪嘗胆という言葉があります。侵略を受けた屈辱を忘れないために、痛い思いをしながら薪の上に寝て、苦い肝を舐める。そして、最後には復讐を果たす。

今、アメリカではフェンタニルという麻薬のよる中毒が問題になっています。中国からメキシコを経由してアメリカ国内に運ばれています。私は中国がアヘン戦争の復讐を西洋に対してしているのではと考えています。中国は自国内での麻薬取り締まりは非常に厳しい。違反者にはしばしば死刑が適用されます。アヘン戦争の屈辱を忘れないようにしている。

世界の大国はほとんどが大陸国家ですから、大陸の考え方が国際標準です。日本ではグローバリゼーションが大事という人が多いですが、グローバリゼーションとは外国と仲良くすることだと思っている人が少なくありません。でも、その考え方自体が日本の「和を以って貴しとなす」そのものであって、国際標準ではないのです。

日本人は、今回のコロナ禍も地震や台風と同じイメージで捉えている人が多いようです。そもそも広島と長崎への原爆投下ですら、「いつかアメリカに復讐してやる」と思っている日本人がほとんどいないことを鑑みると、天災に近いものだという感覚を持っている気がしてなりません。原爆を落とされても、落とした相手に怒らないぐらいですから、武漢ウイルス研究所で作られたウイルスでこれだけ酷い目に遭ったということが分かっても、ほとんどの日本人は怒らないでしょう。ただ、大陸の文化をもつ西洋人はそういうわけにはいきません。彼らは間違いなく中国さらにはウイルス学者たちに対して、強烈な復讐心をもつと思います。

少し前、半沢直樹のドラマが流行りました。「やられたらやり返す。十倍返しだ。そして潰す。二度とはい上がれないように」という有名なセリフがありますが、半沢直樹こそがグローバル人材だと私は思います。

●島国の精神性

前章でも述べた通り、科学の特徴は普遍性です。世界（宇宙）のどこでも成り立つ法則を探求するのが自然科学です。ヨーロッパ文化がそういう普遍性に注目したのも、大陸だったからという面があると私は考えています。

大陸では、異なる文化をもつさまざまな民族と普段から接する機会があります。ですから、違うのが当たり前。違うからこそ、何か共通点はあるのではないかと考えるようになる。一方、日本は島国で均質性が高いですから、同じなのが当たり前です。そうすると、逆に細かい違いに目が行くようになる。魂は細部に宿るという言葉がそれを象徴します。細かいところまで注意するから、完成度が高くて壊れない製品を日本は作れるわけです。海外旅行をして外国のエレベーターに乗ったことがある人なら、日本のエレベーターがいかに乗り心地のよい優れた製品であるかに気づいたはずです。

伝統的に、日本人はとにかく一生懸命、田や畑で作物を育てて生きてきました。地震や台風による損害を被ることがあるにせよ、気候に恵まれた日本では、地道に農作業をしていれば、例年たくさんの作物が収穫できます。それが日本人の真面目な気質につながっているのでしょう。農作業における数々の地道な仕事は、現代のモノづくりで製品の性能を向上させる地道さや忍耐強さに通じていると思います。私自身、庭の雑草を抜いていると、すごく気持ちよくなります。先祖から私に受け継がれてきた農耕民族のＤＮＡがそう感じさせているのかもしれません。

これは日本の素晴らしいところですが、細部に拘りすぎるがゆえに、全体像に関心がいかなくなるのが日本の弱点です。それが、日本の科学研究の現場でも大きな影を落としています。

●全体像に興味がない日本の学者

1章で述べた通り、私は新型コロナウイルスの起源を追究する「パリグループ」の唯一の日本人メンバーでした。もちろん、私は日本国内でもこの問題を提起していましたが、日本の科学界でこの問題に興味をもつ人は誰もいませんでした。

「パリグループ」という名前からも分かるように、このグループの中心はフランス人でしたが、ほかにはヨーロッパの他の国々、アメリカ、オーストラリア、ニュージーランド、インドなどから研究者が参加していました。

アメリカ、オーストラリア、ニュージーランドはヨーロッパからの移民が中心の国ですから、キリスト教を含め思想的にもヨーロッパの文化をそのまま引き継いでいます。前章で述べた真理を探求する文化が根付いていたから、新型コロナの起源を追う人が集まったわけです。

日本の学者は、なぜ新型コロナの起源に興味を示さなかったのでしょうか。これが研究所の事故を起源にしていると分かれば、生命科学の研究に対する規制が強まるのを恐れたというのもありますが、それは西洋の科学者も同じです。それよりも日本が異常なのは、1章でも述べた通り、ウイルス学者であっても自分が研究対象としているウイルス以外に興味を示さないことです。そんなことに興味をもっても、論文を書くのに何のプラスにもならない。だから無駄という態度です。

日本のウイルス学者が自分の狭い専門以外についていかに無関心かについて、一つエピソードを紹介しましょう。

2023年9月に仙台で日本ウイルス学会の学術集会がありました。日本のウイルス学者たちの大多数が集まる学会です。実は、この学会では目玉の企画がありました。武漢ウイルス研究所の石正麗(シージュンリー)にコロナウイルスの機能獲得研究の技術を直接教えたラルフ・バリックが会場で登壇したのです。彼は武漢ウイルス研究所の活動を詳しく知っていると見られ、欧米では非常に注目されている人物です。

私は彼の発表後、質疑応答に立ちました。質問は1章で紹介したDARPAに提出された研究計画に関するものです。デューク・シンガポール国立大学のリンファ・ワン教授は、学術誌サイエンス主催の討論で、この研究計画でフーリン切断部位を入れるのはバリックの提案だったと語っていました。そこで、私はバリックに、この研究計画でフーリン切断部位としてどんな配列を入れるつもりだったのかと質問しました。この質問に対し、バリックはフーリン切断部位の役割について説明をはじめ、私の質問には全く答えませんでした。

バリックの発表後、何人かのウイルス学者と話をしたのですが、ほぼ全員、バリックが石正麗に機能獲得研究の技術を教えた人物であることを知りませんでした。第１章で述べた、ウィスコンシン州で機能獲得研究を禁止する法律が準備されていることも、同様に知られていませんでした。いずれもウイルス学に関する重要な事実だと思うのですが、それがウイルス学者の中で情報として共有されていないことについては、正直非常に驚きました。

ちなみに、バリックにはセッション終了後も直接質問しました。そのことをパリグループのメーリングリストやＳＮＳで発信したところ、海外からは多数のお褒めの言葉をいただきました。日本国内との温度差は歴然としていました。

●「博士」はいても「Ph.D.」がいない日本

日本ではウイルス学者が自分の専門とするウイルス以外に関心をもたないぐらいですから、生命科学以外を専門とする学者がウイルスに興味をもったり、あるいは生命科学者がそれ以外の科学分野に興味をもつといったことはほとんどありません。私も、情報工学分野の学者に新型コロナ起源の話をしたことが何度かありましたが、彼らはほとんど関心を示しませんでした。ただし、「研究所起源が証明されて、生命科学分野の研究が大幅に縮小されれば、その分我々の分野の研究費が増額されるかもしれない」と言ったら、急に眼を輝かせた人は何人かいました。やはり、お金の力は凄いですね。

もちろん、お金に群がるのは欧米も同じです。ただし、欧米の学者の中には、純粋に真理の探求という目的で、専門の垣根を越えて新型コロナの起源に興味を示した学者がそれなりにいたことは見逃せません。天文物理学を専門にするカリフォルニア大学バークレー校のムラー教授は、新型コロナ問題について米国連邦議会下院の公聴会で証言に立ちました。パリグループのメンバーで、ナノサイエンスを専門にするウィーゼンダンガー教授（ハンブルク大学）は、新型コロナ起源に関する100ページを超える論文を書きました。

日本では情報工学を専門とする私が新型コロナの起源を追究したわけですが、各方面から「専門以外のことに口を出すな」と激しい攻撃を受けました。しかし、この考え方自体、学問のことを全く分かっていないと私は思います。

海外では博士号のことをＰｈ．Ｄ．と言います。これは、Doctor of Philosophyの略で、直訳すれば哲学博士です。哲学はあらゆる学問の基礎です。つまり、Ｐｈ．Ｄ．の意味するところは、どんな分野でも研究をする能力のある人材ということです。今は専門外でも、事前に勉強さえすれば、違う分野で研究を立ち上げて論文を書けるポテンシャルを持つ人がＰｈ．Ｄ．なのです。

前章でも述べましたが、科学は神学から派生したものです。神が造った宇宙（世界）を知ることが科学の目的だったわけです。「哲学は神学の婢女（はしため）」という言葉もありますが、神学の一部としての哲学が発展して科学になった。だから、Ｐｈ．Ｄ．は宇宙（世界）の真理に迫るための方法論を身につけた人のことであって、どんな研究をして博士号を取ったかは関係ないのです。

ところが、日本の科学の文化にはそうした神学や哲学のバックグラウンドがない。日本で私のような情報系の研究者がコロナについて論じると「専門でもないくせに」と眉をひそめる。本来の博士が何を意味するか、日本は博士号の持ち主でも理解していない人が多いのではないでしょうか。

もちろん、日本の場合、博士号の正式名称はPh.D.ではありません。工学博士、農学博士、薬学博士といった専門分野名を冠にします。私が所有している学位も博士（工学）で、英訳するとDoctor of Engineeringです。日本の博士のほとんどは専門バカですから、彼らに哲学博士を名乗らせないのは、実態に合っているとは思います。ただ、海外のPh.D.は日本の博士とは違うという自覚はもっておく必要があるでしょう。

●間違っても謝らない日本人

ここまで、日本人の視野の狭さについて話してきましたが、もう一つ目に付く日本人の問題点は、間違っても謝らないことです。

新型コロナのワクチンには心筋炎をはじめとする副反応が多く出ています。1章でも述べた通り、新型コロナワクチン接種後に健康被害を訴え、国の予防接種健康被害救済制度で「因果関係を否定できない」として認定された総数および死亡例の認定数は、新型コロナワクチンを除く過去45年間の全てのワクチンの認定数の累計を既に超えています。このことは、新型コロナワクチンが従来のワクチンに比べて極めて副反応のリスクが高いワクチンであったことを示しています。にもかかわらず、日本で新型コロナワクチンは安全であると言っていた人たちが、自らの誤りを認めて謝罪しているのを見ることはありません。

一方、海外では新型コロナワクチンを推進していたことを謝罪する人を見ることも少なくありません。１章でも紹介したイギリスの看護学者ジョン・キャンベル博士や、アメリカの医師デビッド・ドリュー・ピンスキーなどがその代表例です。彼らは、インターネット上で動画配信をしており、２０２１年頃までは新型コロナワクチンの安全性を主張していましたが、２０２３年になってそれは間違いだったと謝罪しています。

一方、日本人、中でも日本のエリートは、自らが間違っていたと分かったときも、それを認めて謝るということができない。皆が忘れるのを待って、フェードアウトすることを願うわけです。

この姿勢の違いも、２章で述べた「神の目」を意識するか否かの違いではないかと思います。欧米では「神を騙すことはできない」と考えて非を認めるのでしょう。日本には、そういう意味での神はいません。その代わりが「世間の目」です。日本人を律しているのは他人からどう見えるか、なのです。

日本の一般庶民は外国人よりも規律正しくルールを守ります。盗みなど犯罪をせず、正直に生きています。それは神の目を恐れるからではなく、世間の目を恐れるからです。世間の目の方が、神の目よりもその存在を感じやすい。だから、一般の日本人は外国人よりも規律正しく行動する。

ただ、一般市民は世間の目で律することができても、いわゆるエリートは世間の目を騙す力を有しています。ですから、「世間の目」でエリートをしばることはできない。

アメリカのエリートは「神は何もかもご存じなので、自分が間違っていたと分かれば素直に謝らないといけない」と考える一方、日本のエリートは神の目など気にしないし、世間の目は簡単に騙せると考える。だから、行動を律するものが全くないのです。

日本の官僚が自らの誤りを認めず誤魔化そうとするのも、そうした文化背景があると思います。2023年9月のウイルス学会でも、厚生労働省が最初は新型コロナウイルスの空気感染を認めていなかったのに、それを認める方向に見解を変えたと講演者が話すと、質疑応答で国立感染症研究所の人が、空気感染を認めていなかったわけではないと訂正を求めました。いかにも日本の官僚らしい反応だと思いました。

●日本で内部告発をすると冷遇される

日本が神の目よりも世間の目を大事にすることを象徴しているのが、不正を内部告発した人に対する扱いです。

欧米では不正を告発すると、ヒーローになります。例えば、１９８６年のスペースシャトル・チャレンジャー号の爆発事故で、ロジャー・ボジョリーはその名を上げました。彼はロケットのブースターを担当していたサイオコール社の技術者でした。打ち上げ当日は寒波に見舞われていました。低温でOリングと呼ばれる部分が柔軟性を失って、そこから燃料が漏れるのではないかと危惧したボジョリーは、最後まで打ち上げに反対しました。にもかかわらず、打ち上げは強行され、乗組員7名の尊い命を奪う爆発事故という悲惨な結末を迎えました。結果としてボジョリーは事故を防ぐことはできなかったものの、最後まで打ち上げに反対した彼の行動は称賛されました。この話は技術者倫理の教科書の多くに掲載されています。

一方、日本の場合、不正の内部告発者は、たとえ正しい告発をしたとしても、その後は不遇な人生を送るのが常です。２００２年の雪印食品牛肉偽装事件で不正を告発した西宮冷蔵の水谷洋一さんは、狂牛病対策の補助金目当てに輸入牛肉を国産と偽って補助金を騙し取ろうとした雪印食品の不正を告発しました。その結果、長年の取引先から相次いで契約を打ち切られ、さらに雪印食品と共謀して在庫証明を改竄したという理由で、国から営業停止命令を受けることになりました。

２００７年、食品加工卸会社「ミートホープ」の常務取締役だった赤羽喜六さんは、同社による消費期限切れラベルの貼り替えなどの不正を内部告発しました。ところが、かつての取引先から偽装と知っていて売りつけたのかと批判されたそうです。

結局、日本ではみんなが不正をしているときは、一緒に不正をしないといけないのです。不正を告発したら、和を乱したとして集中攻撃される。神の目よりも世間の目を大事にする日本社会だから、こういう扱いを受ける。水谷さんも赤羽さんも、欧米だったらヒーロー扱いだったでしょう。

学問の世界においても、内部告発者は悲惨な目に遭います。最も有名なのは水俣病の真因を追究した宇井純先生（当時東京大学工学部助手）です。ご存じの通り、水俣病はチッソ株式会社の工場排水に含まれていた有機水銀が原因でした。しかし奇病が流行り始めた当時、東工大の清浦雷作教授をはじめ、権威ある学者たちは工場排水が原因であるという説を否定しました。

結果として、宇井純先生は万年助手に置かれ、科学研究の道を諦めざるを得なくなりました。一方、間違った説を唱えた権威ある教授は何の責任もとらずに済みました。

新型コロナの起源を追究している私を見て、ある有名大学の名誉教授の先生から「君も宇井先生と同じ運命を辿るよ」と言われたことがあります。生命科学者たちが隠しておきたい新型コロナ研究所起源を暴く活動をしてきたわけですから、これで実際に研究所起源が完全に証明されたら、私は日本の生命科学者あるいは科学者全員から総攻撃を食らうのではないかと思います。お前のせいで研究がやりにくくなったと。

一つ救いがあるとすれば、新型コロナは世界的な問題であることです。日本では酷い目に遭っても、欧米では正当に評価してもらえると思っています。正直、真理の追究という意味での科学をしたい人は、日本にいるよりも欧米に出て行った方が居心地がいいと思います。

●センメルヴェイスのエピソード

もちろん、真理の探求には時間がかかります。たとえ正しいことを言っていても、それが証明されるまでに酷い扱いを受けることがあるのは欧米も同じです。その最も有名な例の一つがイグナーツ・フィーリプ・センメルヴェイス（ゼメルヴァイスあるいはセンメルワイスとも表記される）です。

センメルヴェイス（1818−1865）はハンガリー人の医師で、産褥熱（さんじょくねつ）（当時の欧州で10％から30％の致死率）が医師の消毒不足を原因として起きていることに気づき、産婦人科医が手を消毒することで劇的に産婦の死亡率を下げられることを発見したことで知られています。実際、彼は自らが勤めるウィーンの病院でこれを実践し、産褥熱の犠牲者を大幅に減らすことに成功しました。

彼はこの成果を欧州各地の産婦人科病院に手紙を送って伝えましたが、ことごとく無視されました。彼の生きた時代は、ルイ・パスツールによって細菌の存在が発見されるより前です。ですから、手を洗うことで病気が予防できることのメカニズムがまだ明らかになっていませんでした。また、医師の立場からすると、自らの不衛生が原因で多くの産婦が命を落としたとは認めたくはないという心理が働いた面があるでしょう。この点、新型コロナワクチンの健康被害を認めたくない今の医師の心理にも通じるのではないかと思います。

センメルヴェイスの説はすぐに受け入れられなかったので、欧州各地では産褥熱による死亡率は高止まりした状態が続きました。そのため、センメルヴェイスはやがて攻撃性を強めていき、それが彼をさらに孤立させていきました。精神的に追い詰められて神経衰弱となった彼は、ついに精神科病棟への入院を余儀なくされました。そこで彼は暗室に押し込められ、体を拘束され、その２週間後、命を落としました。パスツールやリスターが細菌の存在を発見し、センメルヴェイスの説が正しいことを裏付けたのは、彼が死んで間もなくのことです。

●脚気の原因を間違えた森鴎外

日本で似たような例として、海軍軍医として脚気（かっけ）が栄養素の不足（後にビタミンBと判明）であることを発見した高木兼寛（１８４９-１９２０）の話があります。

高木が脚気の原因は栄養素不足と主張した当時、日本の主流の意見は細菌起因説でした。当時、日本で細菌説を強硬に主張していたのが陸軍軍医の森林太郎（森鴎外）（１８６２-１９２２）であったことは、比較的広く知られた事実だと思います。

イギリスに留学経験のあった高木は、イギリス海軍に脚気がないことに注目し、洋食が解決の鍵であるとして麦を海軍の食事に取り入れました。その結果、白米食を継続した陸軍で大きな被害が続いた一方、海軍では被害をごく少数に留めることに成功しました。

ところが、この話は日本では高木兼寛の成功談としてではなく、森鴎外の失敗談として語られることが多いのです。一方、センメルヴェイスの名前は、「センメルヴェイス反射」という有名な言葉となって今でも使われています。これは「通説にそぐわない真実を拒絶する傾向」を指す言葉で、センメルヴェイスの説を受け入れなかった医師たちの間違いを教訓として名付けられたものです。この言葉によって、彼の功績は現代にも語り継がれています。

日本では二者が対立して一方が正しかった場合、正しかった人を高く評価するより、間違った人を批判することに力を注ぐ傾向が強いように思われます。新見南吉著の『ごんぎつね』や宮沢賢治著の『グスコーブドリの伝記』のように、人知れず善行をすることを美徳とし、表立って褒めることを積極的にしない日本の文化的背景も影響しているかもしれません。

●日本の科学研究は職人芸が多い

ここまで、日本人の悪口を言いすぎたので、そろそろ長所についても触れたいと思います。科学的思考が苦手な日本人ですが、技術的には非常に優れていることは間違いないです。日本人は自然科学分野でノーベル賞を多数受賞していますが、その多くは「職人芸」の成果による科学的発見であるケースが多いのです。

もちろん、湯川秀樹の中間子、朝永振一郎のくりこみ理論、福井謙一のフロンティア軌道法など、概念として新しい研究成果も中にはあります。ただ、数でいうと職人芸の方が圧倒的にマジョリティです。

例えば、青色発光ダイオードもiPS細胞も、実験の職人芸で発見されたものです。物理学でも、カミオカンデを使った計測によって素粒子の世界の真理の探求をしようとしていますが、カミオカンデという装置を作ることは職人芸です。このように、日本のノーベル賞は真理を探求するという文化の産物ではなく、職人芸の産物と言えるものが多いのです。

実際、学問分野に限らず、日本人は職人として素晴らしい才能を発揮してきました。より高性能の素材を作る、精密機械や部品を小型化する、あるいは非常に精度の高い製品を作ることに強いのはその証左です。日本のメーカーが製造する自動車は故障しにくいので、世界市場を席巻しました。さきほども述べた「魂は物の細部に宿る」といった精神が、そうした職人芸を支えている面もあると思います。

●抽象概念は苦手な日本人

日本人は実験やモノづくりのような具体的な対象を扱うのには強い一方、理論のような抽象概念に弱い傾向があります。実際、日本人はハードウェア開発は得意ですがソフトウェア開発は苦手です。だから、GAFAのような企業は日本から出てこない。

学問的に見ても、情報分野において、欧米ではイギリスのアラン・チューリングやハンガリー出身のアメリカ人フォン・ノイマンなど非常に画期的な研究をした学者がいましたが、日本人からそういう成果は生まれていません。

数学のフィールズ賞も、日本人受賞者は広中平祐(へいすけ)先生など3名しかいません。偉大な数学者はフランス人やロシア人の方が多いわけです。数学はある意味形而上学的な学問ですから、情報工学と同じで日本人の得意な職人芸を発揮しにくい分野です。

こうした傾向も、一神教を背景に普遍性を追い求める西洋文化とアニミズム的な信仰をもつ日本文化の差を反映しているように思います。普遍性を目指す方が、抽象的思考には強くなります。

新型コロナ対策でも、その違いを反映する場面に遭遇しました。前述の通り、私は新型コロナウイルスの起源を追究してきました。これは欧米では大きな社会的関心事になっています。しかし、日本でこの問題に関心を示す人はほとんどいなかった。私が日本人からしばしば投げかけられたのは、目の前の患者を救うこと、感染拡大を防ぐことが大事で、起源の追究など意味がないという批判です。

けれども、新型コロナが研究所起源なら、放っておけば研究所発のパンデミックが繰り返されることになります。田中先生と宮沢先生の論文（1章参照）に基づくと、オミクロン株は研究所起源であることが濃厚なので、私が武漢株は研究所起源の可能性が高いと声を上げていたときに、多くの人がそれに耳を貸して世界中のウイルスを扱う研究施設に査察を入れていたら、オミクロン株による被害は防げたかもしれないのです。

「1人の死は悲劇だが、100万人の死は統計である」という言葉がありますが、研究所から漏れた人工ウイルスが原因で世界の700万人が亡くなったといっても、自分の目の前で人が死なない限り、日本人の心には響かないのでしょう。日本人は抽象概念を扱うのが苦手なので、数字の裏にある一人ひとりの生死に思いが至らないのかもしれません。実際に目の前に仲間がいれば、具体的に「仲間を守る」という考えや行動をしますが、大局的に起きている大問題は目に見えないので無視するわけです。

目の前の問題の火消しだけに注力する。そして、それが終わったら忘れてしまう。これも、大型の自然災害と対峙してきた日本人がもつ「言霊」と「水に流す」という考え方の延長線上にあるように思います。

●自然エネルギーのウソ

広く全体を俯瞰して見ることができない日本人の特質は、歴史的にもたびたび露呈して問題を起こした過去があります。第二次世界大戦で、大日本帝国の勝利が本来の目的のはずなのに、陸軍と海軍がいがみ合って、互いに足を引っ張ったのはその代表例です。

これと同じことは学問の世界にもあります。日本の学者は、自分の分野にお金を引っ張ってくることだけを考えています。日本国の発展に資することも、日本人の暮らしを豊かにすることも、全く考えていません。にもかかわらず、表では日本のため、世界のためと白々しいウソをつきます。

その最たる例が、自然エネルギー（再生可能エネルギー）の研究です。自然エネルギーの最大の弱点は、エネルギー密度の低さです（加えて、太陽光と風力は出力が不安定という問題もあります）。

しばしば、自然エネルギーの研究が進めば、火力や原子力を代替できるようになると主張する人がいます。しかし、いくら研究を進めても、できるのは変換効率を上昇させることだけで、エネルギー保存則を打ち破ることはできません。よって、どれほど多額の研究費を投入しても、広大な開発行為なくして、エネルギー密度の低い自然エネルギーで従来の火力発電や原子力発電を代替させることは原理的に不可能です。

自然エネルギーの密度の低さを説明するのに、私がよく使う例があります。重油１立方メートルを燃焼して得られるエネルギーと同じエネルギーを高さ１００メートルのダムによる水力発電で得ようとしたら、何立方メートルの水がいるかという問題です。これは高校理科の知識があれば計算できます。クイズとして学生に出すと、１００～１０００倍という答えが多いのですが、正解は約４万倍（４万立方メートル）です。

理系でない人には私は次のような喩えで説明します。水力発電や風力発電は力学的エネルギーを変換して電気にします。力学的エネルギーを使った武器に弓矢があります。一方、火力発電は化学エネルギーを変換して電気にします。化学エネルギーを使った武器に大砲があります。だから、自然エネルギーの技術を洗練させて火力発電を代替しようとする試みは、弓矢の技術を向上させて砲兵軍団に勝とうとするようなものなのです。にもかかわらず、なぜ学者は弓矢に拘るのでしょうか。

太陽光発電が学者にとって都合がいいのは、他の発電方式と違って変換効率が低く改善の余地が多くあることです。だから、論文になる研究がしやすい。技術的に何らかの新規性があり、既存の方式に比べて1%でも変換効率が改善すれば、コスト面などで実用性がなくても、とりあえず論文にはなります。

でも、太陽光発電の場合、もともとエネルギー密度が低いので、変換効率が向上しても、その差分で新たに得られるようになる電力はたかが知れています。火力発電や原子力発電で変換効率を1%改善する方が実用的意義は遥かに大きいのですが、その種の研究を大学の研究室が単独で実施するのは難しい。だから論文化しにくいのです。

太陽光発電などの不安定な電源が広がることは、実は別の研究分野の学者にとっても都合がいい面があります。電気を（実際には電気エネルギーを別の形に変換して）貯める技術の研究にお金がつきやすくなるのです。蓄電池以外にも、水素、アンモニアなどの化学物質の形でエネルギーを貯蔵する技術もあり、これらの分野には多くの学者が参入して研究をしています。ところが、水素は常温で気体であることの困難、アンモニアは劇物であり燃焼すれば有害な窒素酸化物が出る問題があります。蓄電池には、寿命が短い問題、廃棄処理の問題があります。いずれも実用上は色々問題がありますが、論文は書きやすい。環境のためと言えば研究予算もとりやすい。

最近、地質の専門家の方から、地熱発電の活用は基本的には難しいこともうかがいました。たしかに地熱エネルギーは多いものの、利用できる範囲の制限や技術的な問題がかなり多いそうです。ただ、そうした事実を公言すると、地熱発電の研究者が食べられなくなってしまうため、おおっぴらには言えないといいます。万事がこれで、研究者は自身の専門をネタに飯を食うことしか考えていないのです。

●論文より実用を優先して考える

実は、私にはエネルギーや電気の技術に関する先生がいます。同じ筑波大学の石田政義先生です。ときどき通勤のバスが同じになることがあり、そこで色々教えていただいています。石田先生は、専門は水素エネルギー利用なのですが、日本のエネルギー問題について広い視野で見ておられます。

石田先生は、論文になる新しい技術よりも、実際に日本社会に資するような成熟技術の再編成について考えておられます。実は、エネルギーを貯める技術には、古くから知られた信頼性の高い技術があるそうです。一つは揚水発電、もう一つはメタノールの形に変換する技術です。ところが、これらの技術は古くて既に確立されてしまっているがゆえに、学者にとっては論文の書けない「おいしくない」技術なのだそうです。

石田先生は、電気の貯蔵方法として、メタノールの活用と首都圏外郭放水路を活用した揚水発電の導入を提案しています。揚水発電所はこれ以上作る場所がないとしばしば言われますが、首都圏外郭放水路内に作るのであれば新たな自然破壊を招くと批判されることはありません。土木構造物なのでメンテナンスさえすれば蓄電池と違って半永久的に使うことができます。近年、都市豪雨の頻発が問題となっています。首都圏だけでなく他の大都市圏にも揚水発電機能を備えた外郭放水路を作れば、洪水対策と蓄電という二つの目的を同時に達成できるので、公共事業として投資する意義は大きいと思います。

でも、こういう発想は学者からは生まれてこない。石田先生と違って、ほとんどの学者は社会全体のことなどどうでもよく、論文を書くことと研究費をとることしか頭にないからです。

●物理学研究の懐事情

論文執筆や研究費獲得のためにウソをつくという学者の習性は、ほとんど全ての分野の学者に蔓延している病理です。別の例として、日本の物理学研究の事情を少しお話ししたいと思います。

日本の物理学者は、いわゆる文系の左翼知識人と仲がいいと気づいている方は多いのではないでしょうか。物理学者の池内了（さとる）氏やノーベル物理学賞を受賞した益川敏英氏（故人）は軍事研究反対の急先鋒に立つ人物ですし、同じくノーベル物理学賞を受賞した梶田隆章学術会議会長も、日本学術会議の左翼活動家教授たちを擁護する立場をとり続けました。これには、イデオロギーを超えたある事情があります。

カミオカンデのような巨大な実験施設を作るため、日本の基礎物理学は莫大な研究資金を国から獲得しています。日本でこれができるのは、他国のように軍事研究優先ではないからです。日本は軍事研究に巨額の研究費を使わない分、基礎物理学にお金が回りやすくなります。ですから、軍事研究反対の左翼たちは、基礎物理の研究者にとっては非常に都合がいい存在なのです。

もちろん、基礎物理学の研究が進むのはいいことです。ただ、その目的が真理の探求ではなく論文を書くことやノーベル賞を取ることになるのは好ましいことではありません。自分の名誉ではなく、人類が真理に近づくことを目的にするなら、「宇宙の真理は簡単には近づけないのだから、自分の時代に全てが分からなくてよい。急がず、徐々に時間をかけて真理を探求すればよい」と考えてもいいはずです。

●マスコミの「報道しない自由」と「焦点ずらし」

もちろん、こういう自分のことしか考えない輩は学術界に限らず、今の日本の学歴エリート全体に溢れかえっています。官僚やマスコミも酷い。

官僚とマスコミが結託した酷い事例が一つあります。2018年、文部科学省科学技術・学術政策局の佐野太局長が、東京医大に息子を入学させる見返りとして同大を私立大学支援事業の対象校に選定したという受託収賄事件です。

これは文部科学官僚によるとんでもない汚職ですが、マスコミは話を巧みにすり替え、医学部の「入試不正問題」に関心が向くようにしました。

私大の医学部では慣例的に男子学生と多浪していない学生を優遇していました。これは多くの人が前から知っていることでした。にもかかわらず、それを新たに発覚した問題かのように報じたのです。ジャニーズ問題と同じです。

日本に限らず、世界でも私立大学ではある程度の献金をすれば入学を認められるケースもあります。アメリカの有名大学はほとんどが私立ですが、成績優秀者、多額の寄付者、コネといった入学ルートがあります。日本の私大医学部入試でも「合格点に何点足りないけれど何百万円寄付すれば入学できる」という話はよくあったと聞きます。

女子や多浪生を不利にしていたのは、その大学の病院で医療を成り立たせるために必要だったからです。そもそも外科を選ぶ女性医師は稀有ですから、女子学生が増えすぎると外科医療が成り立たなくなる。また、外科医を育てるには長いトレーニング期間を要するので、何年も浪人している人では外科医として働ける期間が短くなります。

では、なぜあえてこのタイミングでそのことを問題視したのか。「医学部入試不正」問題を騒ぐことで、佐野局長の不祥事を隠し、文科省のダメージを防ぐためと考えられます。なぜマスコミが文科省を守るかというと、前川喜平事務次官が開いた、マスコミの大学への天下りルートがあるからです。マスコミ出身の人は、前川氏のおかげでたくさん大学に天下りできるようになりました。

例えば、新しく開校した国際医療福祉大学の文系の教員はマスコミ出身者が多くいます。

マスコミからすれば、自分たちの天下り先を提供してくれる文科省の不祥事を報道できないわけです。マスコミは何かと前川氏を持ち上げる報道をし、彼のコメントをことさらに取り上げますが、その理由がよく分かるでしょう。

●広い視野で技術を見ることの重要性

最近は、若者を中心にテレビ受像機をもつ人も減ってきて、テレビの社会的影響力も低下しました。しかし、最近まではテレビの影響力は絶大でした。それゆえ、その悪影響も多くありました。

２０１１年の地デジ化の際、私はＣＭをコントロールできるテレビの導入を提案しました。コンプライアンスの観点から、パチンコや消費者金融のＣＭを見たくない人は、ボタンを押せばほかのＣＭに差し替わるというテレビです。受像機側で差し替えＣＭをコントロールできれば、そのＣＭの広告収入がメーカーに入ります。地デジ化完了後、しばらくテレビは売れなくなるため、そうした工夫の必要性をずっと説いていたのです。

現在、ＳＮＳは広告を出して儲けていますが、それをコントロールするのはソフトウェアです。それをハード側が広告の出し手となれるようにして儲けたらどうかと考えたわけです。このアイデアをもって何社か回ったものの、結局実現には至りませんでした。

次に、２０１４年に考案したのが、ＮＨＫだけ受信しない帯域除去フィルター機器「イラネッチケー」です。そうしたフィルター機器が技術的に作成可能であることは、電気電子工学系の知識がある人ならみんな知っているレベルのものです。しかし理系の人間は法律の知識が乏しいため、ほとんどの人が放送法六十四条の条文を知りません。私は「協会の放送を受信することのできる受信設備を設置した者は、協会とその放送の受信についての契約をしなければならない」（「協会」とは日本放送協会のこと）という条文を読んで、ＮＨＫを受信できないテレビであれば契約義務を回避できると考え、実際に行動に移しました。

わざわざ作ろうと思ったきっかけは、ＮＨＫがユーチューブにアップした国会中継の動画を削除させたことです。中山成彬議員の国会での従軍慰安婦問題に関する質問がユーチューブにアップされたのですが、ＮＨＫは著作権侵害を理由に削除要請をし、視聴できなくなりました。しかし同じ日に行われた辻元清美氏の従軍慰安婦に関する質問（中山議員とは正反対の内容）の映像はユーチューブにアップされたままでした。つまりＮＨＫが削除要請しなかったのです。

公共放送なのに、国会議員の一方の意見だけ削除要請するのは公平性を著しく欠いています。ＮＨＫがそこまでするのなら、ＮＨＫだけ映らないテレビを選択する権利が国民に与えられるべきだと考え、「ＮＨＫが映らないテレビ」を作ることにしたのです。ＮＨＫの受信料を払いたくない人にそのテレビを提供し、その方が原告となって債務不存在確認訴訟（受信料を払わなくていいことの確認を求める訴訟）をＮＨＫに対して起こしました。裁判の結果、地裁では勝訴しましたが、結局、高裁と最高裁で負けてしまいました。

それでも地裁での勝訴はかなり話題になり、インターネットのＡＢＥＭＡ ＴＶなどに出演しました。ただ、地上波のテレビは完全に無視でしたね。基本的に全てのテレビ局はＮＨＫの電波塔を利用して放送していますから、ＮＨＫに批判的な映像は流せないし、ＮＨＫに不祥事があってもトーンがかなり低い報道になるわけです。私がニコニコ動画のイベントにイラネッチケーを出展したとき、取材に来ていた日本テレビのクルーが、「これは放送できないな」と言っていたのをよく覚えています。

●受信料制度が日本の電子産業を衰退させた

私はこうしたテレビ局の護送船団方式が日本の電子産業を衰退させる大きな要因になっ

たと思っています。日本のテレビや携帯電話はB‐CASカードやワンセグ対応といった世界標準でない機能を入れる必要が生じました。当然、コスト高になります。何よりも問題だったのが、ワンセグ付きの携帯電話やスマートフォンを所持すると、テレビ受像機を持っていなくてもNHKに受信料を払わないといけないことです。だから、テレビ受像機を持っていない若者は、ワンセグ機能のない海外のスマートフォンを選ぶことになりました。

もちろん、単にアイフォンの方が魅力的だったというのもあると思いますが、日本のメーカーを応援しようと思っても、日本製でワンセグ機能のない携帯電話やスマートフォンは、一昔前はほとんどありませんでした。これでは、日本のスマートフォンに勝ち目はありません。その結果、日本メーカーは海外市場だけでなく、国内市場でも完全に敗北しました。

ほかにも、日本のテレビ局を守るために、テレビ録画機器にコピーワンスやダビング10といった複雑な制限が導入されました。これも日本の電子産業の足を大きく引っ張る結果となりました。

●ソフトウェアを軽視する日本の問題

こうしたテレビ関係の「発明」をしてみて、日本人の特徴を再認識できました。それは、ソフトウェアをバカにする、ということです。さきほど述べた「日本人は抽象思考が苦手」という性質に依ると思うのですが、ソフトウェア技術者を下に見てバカにするのです。

新型コロナウイルスの起源追究で、私は計算機を使って遺伝子配列の解析をしています。こういう研究をバイオインフォマティクスといいます。ところが、日本の生命科学界では、計算機を使うだけで実際に手を動かして実験しない人をバカにする文化があります。そのため、日本のバイオインフォマティクス分野は欧米に比べてかなり遅れています。

今回の新型コロナウイルスについても、計算機による解析でかなりいい成果を出している学者が海外にはたくさんいますが、日本にはほとんどいません。

同様に一般的な工学分野でも、ハードをやっている人が偉くて、ソフトウェア技術者を下に見る文化があります。日本は昔、ハードの性能をよくすることで儲かっていた時代もあるため、ソフトウェア軽視に拍車がかかりました。しかし今は時代が変わりました。それを理解できなかったから、アップルなどに負けたわけです。

昔、ゲーム機を製造・販売する会社が儲かっていた頃、私の大学院の先輩が「ゲーム機が売れていると言っても、演算をするチップを作っているのは東芝や日立、ＮＥＣだ」と誇らしげに語っていました。でも、結果的にそうした部品だけ作っている会社は儲からず、ゲーム機やゲームソフトを作る会社がどんどん儲かりました。今では、日本のエレクトロニクス業界は壊滅状態です。ハードウェア技術者がソフトを極端に軽視したことが日本の凋落を招いたのです。

●優秀な国民と愚劣なリーダーでできている日本

やはり、日本は抽象概念を扱うこと、全体を俯瞰して見ることが非常に苦手なのです。日本に優秀なリーダーが育たないのもそれが理由だと思います。１９３９年、ノモンハン事件で日本軍と戦ったソ連のジューコフ将軍が「日本軍の下士官兵は頑強で勇敢であり、青年将校は狂信的な頑強さで戦うが、高級将校は無能である」と評しましたが、それは今も変わっていないと思います。

そんな日本で、暗殺によって不慮の死を遂げた安倍晋三氏は傑出していました。希望的観測ですが、経済減速が顕著な中国がこのまま自滅して、日本という国が生き残れたとすると、それは安倍さんのおかげです。

安倍さんが亡くなったとき、欧米のメディアは保守系もリベラル系も安倍さんを絶賛していました。２０２２年7月8日の「ワシントン・ポスト」のコラムで、ジョシュ・ロギンは安倍元首相を「世界の他の指導者たちが中国政府と協力的な関係を続けることにまだ固執していたとき、力で世界の秩序を破壊するという中国の決意を見抜き、それに備えることを始めた指導者」と称えました。

また、前述のパリグループのメンバーでもあるジェイミー・メッツルは、7月10日のCNNのインタビューで「日本（安倍政権）は中国との友好関係は有り得ないと気づいて、アメリカ、韓国、オーストラリア、インドなどと関係を強化した」「安倍首相が表明したのは、日本は普通の軍隊を持つ普通の国になる権利があり、人道支援と弱者救済活動で世界を先導した日本の過去七十数年の功績は誇るに値するということだ。安倍首相は今後もそれを続けるために尽力したのであり、私は日本の明るい未来を信じている」と語っています。メッツルは民主党員、つまりリベラルです。日本のリベラルは亡くなった後も安倍さんをボロクソに叩いていますが、海外のリベラルの評価は全く違います。

今の日本の陋劣（ろうれつ）な政治がもし10年前になされていたら、日本は中国に侵略されていたのではないでしょうか。それを防いだリーダーが安倍首相でした。安倍さんというリーダーを欠いた今、日本はグダグダになりましたが、幸い中国もグダグダになっています。ですから、安倍さんの時間稼ぎのおかげで、日本は中国の侵略を免れるという結果になるかもしれません。

安倍さん亡き今、日本は世界の大局が俯瞰できない政治家ばかりです。中国の周辺国に対する領土的野心がこれだけあからさまになっても、いまだに親中派の議員が与野党を問わずたくさんいます。けれども、新型コロナウイルスが中国の研究所起源だということが証明されれば、状況は大きく変わるでしょう。日本人は水に流してしまいそうですが、さすがに世界は中国を許さない。反中国の国際世論を日本も無視できなくなると思います。

●就職予備校と化した日本の大学

安倍さんが有能な政治家だったのは、いわゆる受験のレールに乗った学歴エリートでなかったことも大きいのではないかと思います。だから、自分のやりたい勉強をとことんやって、教養を深められた。安倍さんは読書家としても有名です。

ところが、今の日本の大学はその逆の方向に行っています。最近は学生の「質保証」といったことを始めて、学生の選択の幅を狭めている。質保証というのは人間を物扱いしている証拠です。つまり、大学は特定の技能を身につけた人材を企業に送り出す就職予備校という認識なわけです。これでは安倍さんのような教養人は育たない。

もちろん、若者の多くが大学に進学するのは、研究や学問がしたいからではなく、就職に有利だからです。だから、仕方ない面もあります。研究機関という性格が強い大学院では論文も書きますが、ほとんどの人は研究者になりたくて大学院に進むわけではありません。どうして大学院を目指すのかを学生に聞いたら、「就職に有利だから」「あと2年間、学生としてモラトリアムを楽しみたい」のどちらかの答えです。修士号は取っても博士課程にまで進まないのも、就職に不利だからです。

さらに博士といっても、教授は学生に自らの研究分野の研究をやらせ、それで論文を書かせるだけですから、広い応用力のある人材を育成できません。先に「Ph.D.」について述べましたが、日本の大学ではDoctor of philosophyを育てているわけではないのです。

そもそも教授自身がDoctor of philosophyではなく、ある特定の研究分野しか知らない自分のコピーを作っているだけです。それでは、博士号取得後も活躍の場は限られるでしょう。日本の大学は課題が山積の状態です。

●団塊の世代が日本をボロボロにした

これは海外にも言えることですが、大学の左傾化の問題は深刻です。特に文系の大学教員は日本を憎んでいる人が非常に多い。このままでは日本の発展は望めません。実際、彼らの長年の「努力」が功を奏し、日本は今や発展途上国に近づきました。

最近、マレーシア留学から帰国した学生がいるのですが、彼によるとマレーシアの物価は日本と変わらないそうです。私が２０２３年5月にアメリカへ行ったときは、物価は日本の倍ぐらいでしたから、昔、発展途上国の人が日本に来たときと同じような感覚を味わいました。

大学人に限らず、団塊の世代の人たちは日本嫌いが非常に多い。戦前の教育を受けた人は、戦後も日本を愛していたと思います。高度経済成長を支えたのは、そんな大正生まれや、昭和ひとケタ、昭和10年代生まれの人たちでした。団塊の世代がよく「自分たちが高度経済成長を支えた」と吹聴しますが、彼らが就職したのは高度経済成長が終わってからです。上の世代が整えた土台があったからこその成長だったのです。

団塊の世代は戦後の反日教育の洗礼を受けた人たちです。その影響で極端な日本嫌いが身に染み付いた彼らが社会で決定権をもった１９９０年代から２０１０年代までの二十数年間で、日本は彼らによってボロボロにされました。日本を極端に弱体化させた2009年から2012年の民主党政権も団塊の世代が中心でした。鳩山由紀夫元首相、菅直人元首相とも団塊の世代です。

日本を愛し、戦争に負けたけれど復興のために心血を注いだ世代の人たちによって高度経済成長が成し遂げられ、世界で最も豊かな国の一つになったのに、日本が嫌いな団塊の世代の人たちがそれを潰してしまったのです。

日本を愛し、日本国民の暮らしを大事に思うから国民を豊かにしようとするわけで、日本を愛していないのに日本の国民を豊かにすることなどできません。高度経済成長の真っ只中は、日本を豊かにすることが国民生活を豊かにするということを理解するだけの知性をみんなが共有していた。しかし、戦後教育を受けた世代は、日本を弱体化することは日本国民の生活を貧しくするということすら理解できなくなってしまっていたのです。

●自由人が活躍できる日本に

貧しくなってしまった日本は、これからどうすればいいか。保守派の人は戦前のような愛国教育をして、日本を再度豊かにしようと考えるかもしれません。でも、それは無理だと私は思っています。今の日本は貧しくなったとはいえ、第二次大戦直後と違って生活に困るレベルではありません。貧しいなりに満足している人も多いですから、みんなで団結して一緒に豊かになろうという気持ちにはならないと思います。

私は、逆に日本人はもっと自由になった方がいいと思っています。さきほど話したように、日本はそれぞれの分野の学者が自ら所属する学会の利権を守ることばかり優先する。こうした傾向は、学術界だけでなく、日本のあらゆる組織に蔓延(はびこ)っています。今も村社会なのです。村への帰属意識ばかりが先行して、日本への帰属意識はないから、お互い足を引っ張り合って日本は沈没していく。

そういう状態から脱却するためには、小さな集団への帰属意識から自由になる必要があると思います。学術界でも自由に発言する先生は、複数の学会に属して、さまざまな分野の研究をしている人です。そういう人は、一つの分野がダメになっても、別の分野で活躍すればよい。さきほど紹介した石田先生も、複数のテーマに取り組んでいるので、自分の研究分野に不利なことも正直に話されます。

色々な研究に手を出す人は日本ではマイナスに評価されがちですが、特定の利権に縛られないので自由な言動ができます。一方、一つの研究対象しかない学者は、その研究がなくなると研究者としてやっていけなくなるため、ウソをついてでも自分の属する学会を守ろうとします。

学問全体の発展を考えた場合、手広く色々な研究をする学者の割合が増えた方が絶対にいいでしょう。例えばウイルス学者が危険な研究に対する規制で研究を続けられなくなったら別の分野に進めばいい、と私は考えています。しかし非常に狭い範囲内の研究しかできない「職人」学者は、ほかの仕事ができません。

私が日本でも一つの研究しかできない博士ではなく、欧米流のＰｈ．Ｄ．を育てなければならないと言うのはそれが理由です。Ｐｈ．Ｄ．であれば、一定の準備期間があれば、どんな研究でもできます。そういう人たちは、今の学者のように「ある学会の利権を守る」という方向には動かないでしょう。自分の利権を守ることに汲々とする人間が集まるから、政治的に動いてしまうわけです。万能な人間が集まれば、そうした政治的な動きなど関係なく自由に研究できます。

自由人ということでは、定年退職した人たちの活躍にも期待したいところです。前著『学者の暴走』で、海外ではクリス・マーテンソンやジョン・キャンベル（両者とも1章で登場）のように、リタイアした学者がユーチューブで論文解説の動画を発信しており、日本でも同様の人が出てきてほしいと書きました。

実際、ワクチンの副反応問題について、日本で活躍したのは名誉教授の先生たちでした。彼らはリタイアしているので製薬会社との利益相反がない。現役の教授たちは、製薬会社に不利なことを言うと、製薬会社からの研究費が打ち切られる可能性があります。だから自由に発言できない。名誉教授の先生なら、そういうしがらみがないので、純粋に学術的な見解を述べることができるわけです。そういう自由な人たちによる自由な発言が、今後の社会をいい方向に導いてくれると思っています。

●日本の若者は海外を目指せ

私はことあるごとに、若い人に海外に出るように勧めています。私自身は、仮に中国が攻めてきたら最後まで戦い、日本の土になるつもりですが、若い人には海外で活躍してほしいと思っています。

私は常日頃、若い学生たちに「少ない稼ぎの中から税や社会保障費を吸い取られて、日本を貧しくした人たちを支えるために使われるより、海外に出て就職して稼いだ方がよいのでは」と言っています。例えば、大学院を修了した博士号の持ち主がアップルに就職すれば初任給でも年収3000万円で、日本の5~10倍です。それならITを学んでアメリカで就職した方が絶対にいいわけです。

幸い、日本の理工系教育は欧米よりも進んでいます。アップルに就職できそうなくらい優秀な学生もいるのですが、アップルを目指すように勧めると「外国に行ったらコミケに行けなくなるのでいやです」と言うのです。「年収3000万あれば年2回コミケのときにビジネスクラスで帰国してもお釣りがくるよ」と私は助言しました。ソフトウェアの技術者を大事にしない日本企業で安く働かされるよりは、GAFAのような国際的な企業で働いた方が、よほど豊かな生活が送れるでしょう。

実は多く若い人は、そのことに気づいているのではないでしょうか。というのは、今の若者は上の世代に比べて明らかに英語が上手くなっているのです。筑波大の私の研究室では、10~15年前のTOEICの点数のボリュームゾーンは500点台から600点台でしたが、今は700点台から800点台です。国際学会に行くと、他大学の学生も指導教員の教授よりもずっと英語が上手なことが多い。

もちろん、今でも日本の方が海外よりも秀でている分野はあります。ハードウェア分野、特に材料や機械、製造装置の分野では日本は国際競争力が今でもあります。そういう分野で活躍したい人は日本で働いても輸出で外貨を稼げます。でも、ソフトウェア分野は海外に出て行った方がいいと思います。さきほど述べたように、日本はソフトウェアエンジニアの待遇が悪すぎます。

日本にいながら海外から仕事を取れるならそれでも構いません。ユーチューブも日本で再生されるのと欧米で再生されるのでは、１回再生当たりの単価は後者の方が高くなっています。海外で再生されるようなコンテンツを作れば、日本にいながらでもそれなりに稼ぐことはできます。

私は、戦前生まれの先輩方には大きな敬意を払っています。日本を豊かにしてくれたのはその世代です。団塊の世代や我々の世代は、彼らのおかげで豊かな時代の日本を生きることができ、おいしい思いをたくさんしているわけです。ですからその恩返しをする必要があると思っています。

しかし、失われた30年といわれる時代しか知らない若者たちは、そういういい思いをしていません。ですから彼ら若者は、日本のために戦う必要はありません。海外に出て好きなだけ稼げばいいと思います。代わりに我々40代以上の世代が、日本を守るために命をかけて戦うべきだと私は強く思っています。

第4章　壊れた社会をどう生きるか

●全体主義化する世界

新型コロナウイルスのパンデミックで、世界中に広がったのが全体主義的な政策です。ロックダウンやマスク・ワクチンの強制などがその代表例です。さらに、後の科学的検証で、それらの強権的対応には過剰なものが含まれていたことが徐々に明らかになってきました。これは1章でも述べた通りです。

元来、左翼はこうした全体主義に反対し、個々人の人権を守ることを標榜していました。しかし、世界の左翼政党でこうした全体主義政策に異を唱える党はほとんどありませんでした。むしろ、左翼政党の方が強権的政策を強く推し進めました。アメリカでも共和党はそれに反対しましたが、民主党の政治家たちは強権的政策に従わない人間を厳しく糾弾しました。

アメリカの民主党は中国共産党と非常に似ています。いわゆるエリート主義で、頭のいいエリートたちが決めたルールに愚民たちは従っていればいいという考え方です。だから、政府の権力を増大させ、個人の自由をできるだけ制限しようとします。新型コロナのパンデミックは、彼らの理想とする社会を作るのに非常に好都合だったわけです。

●正義で動く人は金で動く人にはかなわない

私も、新型コロナウイルスの起源追究では相当苦戦しました。1章で詳しく述べた通り、とにかく最初の2年間は国内に味方がいませんでした。陰謀論者として激しく叩かれました。新型コロナ研究所起源やワクチン副反応について触れることは、全体主義の圧力によって押さえつけられ続けました。

天然起源を主張した人たちは、新型コロナが研究所起源と分かると、研究に規制がかかって仕事に支障が出る人たちです。最悪、失職するかもしれない。だから必死です。生活がかかっていて、全力で攻撃してくる人と戦って勝つのは簡単ではありません。

これはワクチン問題もそうです。ワクチンをできるだけ多く打たせて儲けたい人たちは、お金がかかっているので必死です。副反応の被害を防ぎたいという正義や良心だけで声を上げている人が、お金儲けが目的の人の迫力に対抗するのは大変です。

私が昔からよく言うのは、この世の中は９割は正直者だが、1割のウソつきが81倍情報発信するので、世の中に広がる情報の９割はウソになるという話です。なぜウソつきは81倍も発信するパワーがあるかというと、彼らはお金がかかっているからです。いかがわしい商売をしている会社が、セールス電話をかけまくるのを見ればよく分かるでしょう。

こうした事情はCIAも同じのようです。CIA出身で前国務長官のマイク・ポンペイオは「2万2000人ほどいるCIA職員のうち、おかしいのは2000人」とロバート・F・ケネディ・ジュニアに話したそうです。中でも、特にCIAの上級官僚はタチが悪く、金儲け最優先の人間が多いというのがポンペイオの見解です。

マスコミも真実や正義より金儲け優先です。製薬会社は広告費を払ってくれるスポンサーですから、製薬会社に都合の悪い報道はしません。金儲けのためならなんでもやる人間は、考えているより多いのです。薬害で何万人死んでも、自分たちが儲かるなら平気なわけです。

●子どもにも「正義より金」という現実を教えよう

結局、多くの人は正義感を持っているという建前で考えるから、みんな勘違いをしてしまうのです。いっそ「みんな金のために生きている」ということを前提に世の中を見た方が社会の真相が見えてきます。

「真理や正義のためというのはウソで、みんな金儲けのために動いている」ということを大前提にして、それが思考のデフォルトになっていれば、簡単には騙されなくなります。

高校生くらいから、「ほとんどの人間は正義より金のためのときの方が必死になる」という事実を教え、そうした視点で社会を見る訓練を始めた方がいいのではないでしょうか。

日本人はいまだに性善説で生きていますが、現実の人間社会は悪意と欲に満ちています。昔はなぜ性善説でうまくやれてきたかというと、村社会で相互監視が効いていたからです。「お天道様が見ている」は建前で、村社会で隣人たちの目（世間の目）があるから、悪いことができなかったのです。今は都市化、グローバル化が進んで、隣人の目の行き届かない空間が増えました。ですから、世間の目がなければ金儲けのためにどんな汚いことでもやる人間が多いという性悪説に立って生きるべきです。そろそろ日本人は性善説から性悪説にモードを切り替える必要があります。

みな性善説でお人よしだから、「環境のため」といえば盲目的にそれをよいことと信じ、そこにお金が集まります。でも、ＳＤＧｓなどは金儲けのためのお題目でしかないのです。誰も本気で環境のことなど考えていません。だから３章で述べた通り、エネルギー密度が低く広大な開発面積を要する太陽光発電が、「環境にやさしい」という名目で拡大し、結果として環境を破壊するわけです。でも、そんなビジネスは長続きしません。ＥＳＧ投資を行っていたシリコンバレー銀行が破綻したことが、それを象徴します。

グローバル化した時代だからこそ、そういう悪意に基づくビジネスを見抜く目を養う必要があります。

●日本の医療産業複合体

美しいお題目を掲げながら、裏で政治と癒着して儲けるというビジネスは、地方自治体レベルでもよくあります。人権啓発運動で自治体から補助金を引き出し、その講師としていわゆる「先進的な考えをもつ活動家」が先生と称して招かれ、その講演料で儲けるといったことはよくあります。

ただ、経済規模で考えると、その程度の利権は医療産業複合体に比べるとかわいいものです。コロナワクチンで医師会や医療産業複合体が儲けた金額は桁違いです。

PCR検査をしていないのに、したと言って補助金を手に入れた医師もいますが、バレたら返還するだけで刑事罰はありません。詐欺なのですから全員刑務所送りにすればいいのですが、医師会とズブズブの自民党が厳しい追及をしないようにしているわけです。

2章でも述べた通り、医師会は自民党の強力な支持母体であることは有名です。医師会が応援している議員たちは、結局どうすれば日本医師会の医師たちが儲かるかという観点でコロナ対策をするわけです。我々は「人間はお金で動いている」ということをよく理解しておく必要があります。

●科学の知識があれば投資で儲けられる

もちろん、お金儲けそのものは悪いことではありません。他人の役に立って、その報酬としてお金をもらう。それがまともな社会です。今の社会の問題は、人の役に立つのではなく、逆に人を騙してお金儲けしようとする人が増えすぎたことです。

本来の資本主義は、本当に社会に役に立ちそうな技術をもつ企業、本当に社会に役に立ちそうなビジネスをする企業を予想して、そこに投資をしてそういう技術やビジネスを発展させていくことです。人を騙すようなビジネスは長続きしない。だから、本物の技術を見抜く力があれば、投資で儲けることもできるわけです。

私は、学生にいつも「科学を勉強すれば投資に役立つよ」と言っています。私はふだんは優待株を中心に買っていますが、最近は電力会社の株を購入して利益を出すことができました。

２０２２年、化石燃料の価格が高騰して電気会社の株価が急降下したときに、原発を稼働させている電力会社の株中心に買いました。翌年、電力料金値上げもあって、電力株の多くは倍近くまで値上がりました。原発が動いていない電力会社の株価も値上がりしましたが、その多くが無配になる中、複数の原発が稼働している関西電力は電力料金を値上げせずとも配当を維持しました。

原発は社会的には悪い印象をもたれていますが、3章で解説した通り、自然エネルギーに頼ることなどできないことは、高校理科の知識があればすぐ分かります。火力発電の燃料費が高騰すれば、原発に頼るしかない。みんなが非科学的な行動をとっているときは、科学のことを理解している人にとっては儲けどきです。

科学技術に関係する企業の株はけっこう多いので、科学の知識を利用してのお金儲けも可能なのです。電力会社株の話は高校理科の知識でも見抜ける初級編ですが、ほかにももう少し高度な理系の知識があれば見抜ける良い技術とダメな技術もけっこうあります。

私の親戚で、株を趣味にしている人がいます。話を聞くと証券会社のセミナーに参加するなどして勉強熱心な様子ですが、いつも負けています。あるとき、「証券会社の担当者から某技術系ベンチャーの株の購入を勧められているけれども、どうだろう?」という相談を受けました。

私は即座に、「そこの株は絶対に買ってはいけない」と言いました。その会社の技術はマスコミ等で何度も好意的に取り上げられていました。しかし、技術の中身を知っている私は、マスコミの評価は明らかに過大だと分かっていました。だから、その株は絶対買ってはいけないと強く進言したのです。

その相談を受けた当時、マスコミの過大評価の効果もあり、その会社の株価は２０００円を超えていました。しかし、本当に技術力がなければ、そのうち化けの皮が剥がれます。その後、株価は最も高かったときの10分の1近くまで落ち込みました。

「理系の知識があれば投資で儲けられる、投資で損をしない」ということを前面に出せば、科学に興味をもつ人が増えるかもしれません。

●科学者の給料は安くして研究費は厚く

金儲けに関する、ギリシャの哲学者タレスの話があります。「おまえは頭がいいと言うけど、貧乏じゃないか。そんなに頭がいいのになんで貧乏なんだ？」と言われたタレスは、「金儲けなんて簡単すぎてつまらない」と答えます。すると「簡単というなら金儲けしてみろ」と言われたため、タレスはオリーブの収穫期以外には不要となっている、ギリシャじゅうにあるオリーブの実の搾り機を、安値でたくさん買い込みました。そしてオリーブの収穫期に高額で機械を貸して大金を得ます。「言っただろう？　金儲けなんて簡単なんだ」と言ってタレスはビジネスをやめ、また哲学に戻ったという話です。

私は、これが頭のいい人の姿だと思っています。頭のいい人は、金儲けはやろうと思えばいつでもできる。だから、本当に頭のいい人はお金には釣られません。

優秀な人材を集めるため、科学者の待遇をよくすべきだという議論をしばしば聞きます。正直、私は反対です。そんなことをしたら、科学には関心がないのに、儲かりそうだからという動機の人が集まるだけです。だから私は、科学者の給料は低くてもよいという意見です。その代わり研究費は潤沢に出せばよい。給料はそれほど高くないけれども、研究は思う存分できる環境を提供するのが、本当に科学研究をやりたい人を集めるのに最も有効な手段だと思います。

本当に頭のいい人ならば、科学で得られる収入（給料）が少なくてもタレスのように儲けられるはずで、生活には困らないでしょう。さきほど述べたように、科学のことを本当に理解している人ならば、科学技術の関連株で儲けることもできます。

●政治家も給料を下げた方がよい

科学者の給料と同様に、政治家の給料も下げた方がいいと私は思います。高給を目当てに集まった人たちが、市民や国民のために仕事をするとは思えません。高給が得られるとなれば、その既得権益を守ろうと必死になりますから、選挙に勝つことが全てになって、長期的な国益など全く考えなくなります。今の日本の国会議員を見ていればよく分かります。

アメリカで新型コロナウイルスの問題を追及している連邦議員たちを見て気づいたのですが、医師の議員が非常に多い。上院でこの問題を追及しているポール議員やマーシャル議員、下院でこの問題を扱っている特別小委員会委員長のウェンストラップ議員はみな医師です。その専門性を生かして、新型コロナ問題に取り組んでいる。

日本にも医師の資格をもつ国会議員はいるのですが、数はアメリカに比べると少ない。医師の資格をもっていれば、たとえ選挙に落ちたとしても、仕事には困りませんから、政治家のようなリスクのある仕事をするのにはピッタリだと思います。

よく、給料を高くしないと能力のある人が集まらないという論理を立てる人がいますが、本当に能力の高い人は、給料が低くても投資、本の執筆、講演など、ほかの手段で儲けることができます。給料が低くても、国を動かせるというだけで十分魅力がある仕事なので、その魅力だけを目当てに集まってくる人こそ、政治家に相応しいと私は思います。

●ＲＦＫジュニアが語るＣＩＡの闇

新型コロナのパンデミック下では、アメリカでも全体主義的な政策がとられました。アメリカはもともと自由を尊重することが国是です。こうした政府のやり方に国民の反発が強くなっています。その急先鋒の一人が、1章でも紹介したロバート・F・ケネディ・ジュニア（ＲＦＫジュニア）です。彼は無所属で２０２４年の大統領選に勝って大統領になることを目指しており、私が今アメリカで最も注目している政治家の一人です。

1章でも述べた通り、ＲＦＫジュニアは、医療産業複合体と軍産複合体のような政府と企業の癒着を厳しく批判している人物です。

軍産複合体「Military-industrial complex」という言葉を最初に使ったのはアイゼンハワー大統領です。彼はＲＦＫジュニアの伯父にあたるジョン・Ｆ・ケネディ（ＪＦＫ）の一代前の大統領で、退任前に「軍産複合体には気をつけろ」というメッセージを残しました。これからする話は、ＲＦＫジュニアがジョー・ローガン・エクスペリエンスというネット番組などで語った内容です。

軍産複合体と癒着している政府組織の代表例がＣＩＡです。ＪＦＫが大統領に就任したとき、軍を動かしてカストロを排除したかったＣＩＡが「キューバ内にカストロへの叛逆勢力の準備ができているので、大統領がゴーサインを出せばいつでも攻撃できる」と進言したそうです。ＪＦＫはカストロを苦々しくは思っていましたが、内政干渉になるためＣＩＡのその言葉に耳を貸しませんでした。後日、ＣＩＡの話はウソだったことが判明し、ＪＦＫは激怒したといいます。

その後、キューバ危機がきっかけとなり、ＪＦＫとフルシチョフのあいだにホットラインが設けられました。ＣＩＡもＫＧＢもトップであるＪＦＫとフルシチョフの頭越しに暗躍して勝手に戦争を始めようとするので、それを防ぐためです。

さらに、ベトナム戦争時には、南ベトナム支援のためにＪＦＫは軍ではなく、軍事顧問団を派遣しました。ところがその軍事顧問が75名も亡くなっていることに疑問を抱いたＪＦＫが調べてみると、派遣されていたのは戦闘部隊のグリーンベレーで、戦いに参加して戦死していることが分かりました。ＪＦＫは彼らを引き揚げさせる文書にサインした1ヶ月後、暗殺されました。

実は「陰謀論」という言葉は、ＪＦＫ暗殺に関する諸説に対して名付けられたのが起源です。ＣＩＡ首謀説もそのうちの一つです。この説が今になってまた注目されているのは、ＣＩＡがＪＦＫ暗殺後60年経っても情報開示を拒否しているからです。ご存じの通り、アメリカでは一定の年数が経ったら政府の文書は機密解除して公開することになっています。その例外を適用し続けることから、ＣＩＡ首謀説の信憑性は増してきています。ＲＦＫジュニアの言うことが正しいとすれば、ＪＦＫは戦争を始めたいＣＩＡや軍産複合体の邪魔になったということでしょう。

●軍産複合体の闇

ＪＦＫ暗殺後に大統領となったジョンソンは、自作自演のトンキン湾事件に北ベトナムがアメリカの駆逐艦を攻撃したという口実をつけて、戦争を始めました。結果として、軍産複合体は莫大な利益を上げ、その代わりに多くのアメリカの若い兵隊が命を落としました。

トランプは大統領だった4年間、アメリカに新たな戦争を始めさせませんでした。バイデン政権でロシア・ウクライナ戦争が始まり、アメリカはウクライナに多額の武器支援を行っています。それで軍産複合体は莫大な利益を上げています。RFKジュニアは大統領になったら、両国を仲介してこの戦争を止めさせると言っています。軍産複合体にとっては非常に都合の悪い人物です。

RFKジュニアは伯父のJFKや父のロバート・F・ケネディを暗殺で失っています。RFKジュニアは、父の暗殺についてもCIAの関与を疑っています。RFKジュニア自身にも、演説会場で暗殺を企てていると思われる不審者が捕らえられる事件が起きています。彼は、軍産複合体や医療産業複合体など、金儲けのためには多数の人命が失われることも厭わない官僚と企業の癒着撲滅のため、まさに命懸けで大統領選に臨んでいるわけです。

●分断より融和の道を模索するRFKジュニア

RFKジュニアは既得権益に切り込む姿勢を見せているので、その利権を守りたい民主党やマスコミからは陰謀論者として叩かれています。民主党の大統領予備選に立候補後も、民主党本部からさまざまな妨害を受け、独立系候補として立候補する決意をしました。マスコミのネガティブキャンペーンのせいで、RFKジュニアに悪い印象をもっている人は少なくないですが、彼の話を直接聞けば印象は大きく変わると思います。彼は現在、メインストリームメディアに出られないため、主に独立系メディアへ精力的に出演していますが、私は彼の話を聞くのが最近の楽しみになっています。

ＲＦＫジュニアは分断より融和の人です。アメリカの政治的分断は今非常に深刻です。それは左翼がアメリカ弱体化のために狙ってやっている面があります。ＲＦＫジュニアの話を聞くと、逆に分断したアメリカに融和をもたらそうとしていることが分かります。

例えば、銃規制について質問されたとき、彼は「今、この問題について言うべきときではない」と回答しています。質問者の意図としては、伯父と父を銃で暗殺されたＲＦＫジュニアの口から銃規制強化の話を引き出したかったのでしょうし、彼自身、本音では銃の規制には賛成でしょう。それでもはっきり答えなかった。

アメリカはコロナによるロックダウンで自由が制限されていました。「自由」を錦の御旗としているアメリカ人たちからすれば、非常にストレスがたまっている状態です。そのタイミングで銃の規制を行えば、意見が完全に割れて国そのものが分断してしまう可能性があります。「ゆくゆくは議論すべき問題だが、今はそのタイミングではない」という発言から、ＲＦＫジュニアが何よりも融和を重視していることが分かります。

それから彼はメディケア・フォー・オール、つまり民主党が推し進めている国民皆保険についても慎重な意見を述べています。これも独立系メディアに出演時のことです。黒人女性キャスターはバーニー・サンダースを支持している左派で、国民皆保険を熱烈に支持しています。彼女の質問に対してＲＦＫジュニアは「いきなり国民皆保険を導入すると国が分断する。だから、まず魅力のある公的保険を作り、選択できるようにしたい。その公的保険が魅力あるもので、みんなが自然にそちらを選んだ結果として国民皆保険になるのはいいが、いきなり国民皆保険を強制して今までのプライベートな保険を潰してしまうのは分断を招く」と答えました。

分断するのではなく、意見の違いがあってもみんなでうまく乗り越え、アメリカがいかに団結できるかを考える点で、ＲＦＫジュニアは実に民主党らしからぬ存在です。

●「陰謀論者」というレッテル貼りで終わらせない

ＲＦＫジュニアによると、ケネディ家では、たとえ意見は異にしても相手を憎むことなく、愛することが大事であるという教育を受けるといいます。ＲＦＫジュニアも、食事の際など家族が集まる折に、祖母から与えられた色々なテーマについて互いを尊重しながら議論する環境で育ったそうです。

メインストリームメディアは、国民にRFKジュニアの話を聞かせたくありません。そのため、彼の主張はなかなか伝わりません。実は私も以前は、彼が反ワクチンの陰謀論者と聞いていたので疑念を抱いていました。ですが、彼の著書を読むと、確かにやや首を傾げたくなる部分もありましたが、科学的な参考文献や引用文献が何百もあり、一概に陰謀論とは言えないのではないかと態度を改めました。そして実際に話を聞いてみると、陰謀論者というのは彼と意見を異にする勢力が貼ったレッテルにすぎないと気づきました。彼の話を聞かれると都合の悪い人たちが「陰謀論」と断じ、彼の言論を封殺しようとしているだけです。

権力者や既得権益層は、自らにとって都合が悪い話は「陰謀論だ」で片づけようとします。そして、大多数の一般人も自分の頭で考えないままその流れに乗ってしまいがちです。その風潮は終わらせる必要があります。

新型コロナの研究所起源説も「陰謀論だ」と言われ続けていましたが、丁寧に調べると研究所起源説に収斂していきます。他人や既得権益者の大きな声を頭から信じるのではなく、自身で時間をかけてしっかり調べてみることが大事です。

「彼は陰謀論者だ」「あの話は陰謀論だ」という分割統治（Divide and Conquer）に乗るのではなく、違いを乗り越え融和する。トランプ前大統領は軍産複合体といった既得権益層と戦った点は評価されるべきです。ただ、彼は自分の反対者を攻撃して分断を煽る結果を招きました。ＲＦＫジュニアは既得権益層と戦いつつも、分断を乗り越えてアメリカ国民の融和を図れる政治家だと私は思います。

●左翼の暴走を抑えられるＲＦＫジュニア

ＲＦＫジュニアが民主党の予備選を戦っていた頃、トランプの元側近スティーブ・バノンは、民主党の大統領予備選でケネディが勝てなかったら、トランプの副大統領候補としてケネディを指名して大統領選を戦えばいい、という仰天プランを提案し話題になりました。トランプとＲＦＫジュニアは、既得権益を破壊しようとしている点では共通しています。

今後私が心配しているのが、医療産業複合体の暴走です。これまで、軍産複合体は政権に戦争を始めさせて儲けるというビジネスモデルでした。今後、医療産業複合体がこれと同じことをやるのではないかと危惧しています。

1章でも述べた通り、今はパンデミックを起こせる毒性と感染性の強い人工ウイルスを簡単に作れる時代になっています。「そろそろウイルスを撒いて儲けよう」というように、マッチポンプをやりかねません。さらに、これは足がつきにくい。実際、アンソニー・ファウチとその仲間のウイルス学者たちは、新型コロナの起源について長い間隠し続けることに成功しました。情報公開制度や内部告発で綻びが出ましたが、政府がより強権的な権力をもち、完全に情報をコントロールできるようになれば、バレずに自作自演をすることも可能になるでしょう。RFKジュニアなら、それを阻止できると思います。

トランプは新しい戦争は始めませんでしたが、ファウチを政府の首席医療顧問に据えましたし、COVID-19ワクチンの開発・生産・流通を加速させる国家プログラム「ワープ・スピード」を推進し、医療産業複合体をのさばらせる結果となりました。

ですから、私はトランプよりRFKジュニアの方が圧倒的に大統領にふさわしいと思っています。RFKジュニアの強みは医療産業複合体の利権を打ち破れるという点だけにとどまりません。彼は暴走しているブラック・ライブズ・マター（黒人の左翼運動）も制御できる可能性があります。彼の伯父のJFKは、黒人の公民権運動に共鳴し、公民権法を進めた人物です。その甥であるRFKジュニアが「BLMはやりすぎである」とたしなめれば、反論しにくいでしょう。そういう意味でも、ＲＦＫジュニアはアメリカの分断を止めるポテンシャルをもっています。

●ケネディに流れるノブレス・オブリージュの血

私は学生時代からＪＦＫの大ファンでした。ＪＦＫのファンになったきっかけは、大統領就任演説の「my fellow Americas, ask not what your country can do for you - ask what you can do for your country.」（アメリカ国民よ、国があなたに何をしてくれるかではなく、あなたが国に何ができるかを問え）という一節を知ったことです。日本人が言えば極右とされる発言を、左派の民主党の大統領が言うところにアメリカという国のすごさを感じました。それで、彼の約14分の就任演説を全て暗記しました。今は半分ぐらいしか覚えていませんが。

前記の有名なフレーズの続きは「My fellow citizens of the world: ask not what America will do for you, but what together we can do for the freedom of man.」です。訳すと「世界の人々よ、アメリカが何をしてくれるではなく、人類の自由のために一緒に何ができるかを問うてくれ」ということです。続いて「Finally, whether you are citizens of America or citizens of the world, ask of us here the same high standards of strength and sacrifice which we ask of you.」と言います。つまり「我々が今要求したことと同じ高い要求を私たちにもしてほしい」と言っているわけです。私は今でもこの大統領就任演説は素晴らしいと思っています。

その甥にあたるＲＦＫジュニアは、病気で声がしっかり出せないため、話が非常に聞き取りづらく、伯父のような弁舌の力はありませんが、内容は伯父に負けず劣らず素晴らしいのです。年齢も70に手が届こうとしていますし、大きな既得権益層と戦う彼には、伯父や父と同様に暗殺のリスクもあります。命の危険がある中で、祖国のために立ち上がった彼の勇気に私は深い敬意をもっています。

●科学者のための民主党VS.科学のための共和党

ＲＦＫジュニアは民主党でも異端で、ほかの民主党の政治家は本当に酷い人が多いです。私の場合、新型コロナの起源を追究するアメリカの下院の公聴会は欠かさず観ているのですが、民主党にはまともな政治家がいないことがよく分かります。

公聴会では共和党の議員と民主党の議員が交互に質問するのですが、多くの民主党議員は持ち時間の５分を質問ではなく自分の主張を演説することに費やします。その演説の内容といえば、証人の一人が過去に書いた本が人種差別的であるだとか、トランプが悪いであるとか、新型コロナの起源とは全く関係ないものばかりです。証人は一週間前に発表されるので、気に入らなければ差し替えを要求することもできます。それをせずに当日になって騒ぎ立てるのは、新型コロナ起源と関係のない質問で時間を消費する戦略だったからでしょう。一方、共和党の議員は公聴会では、新型コロナの起源を追究する上で必要になる質問を適切にする。非常に対照的です。

安倍元首相がご存命の頃、大王製紙の社長だった井川意高（いかわもとたか）さんが安倍さんに、「私、実は自民党支持ではないんです」と言ったところ、安倍さんが怪訝な顔をして「どの政党の支持ですか？」と尋ねたそうです。井川さんが「共和党です」と答えると安倍さんが「私もです」と返した、というエピソードがあります。

共和党は宗教右派が多く、進化論を否定するなど科学の敵であるという印象をもつ人も多いかもしれません。けれども、新型コロナの起源について民主党は事実を隠そうとしますが、共和党は徹底的に調べて真理を探求しようとしています。簡単に言えば、民主党は科学者の利権を守る「科学者のための党」で、共和党は科学を守ろうとしている「科学のための党」といえるでしょう。アメリカの連邦議会を見ていると、このことがよく分かります。

●「コロナの中国研究所起源」は中国弱体化のチャンス

共和党には対中強硬派も多くいます。私は経済に関しては素人であまり詳しくありませんが、コロナの発生源である中国を、チャイナリスクを考慮してサプライチェーンから外すという動きもあるようです。

日本では全然議論になりませんが、アメリカなど他国で世論調査をすると、6～7割の人が新型コロナは中国の研究所起源だと思っています。中国人を含むアジア人へのヘイトクライムが増えたのも、コロナ問題での中国政府の対応が人々の怒りを煽った結果でしょう。

欧米で中国との経済関係を徐々に切る動きがあるのも、新型コロナウイルスを作って漏らしたと見られる中国への憎悪が積もっていることの影響ではないかと思います。1章で述べた通り、科学的に見ても新型コロナはほぼ間違いなく研究所起源です。その事実を確定させることは、科学の安全管理や発展にも資するものですが、副次効果として中国を弱体化させることにもつながります。それは日本の国益にも資すると思います。ところが、日本の保守派でも新型コロナの起源に興味を示す人は少ないのが不思議です。

●親中議員を駆逐する「共和党日本支部」を待望する

安倍さんが亡くなって、一見保守に見えた安倍首相の取り巻きだった自民党議員も、安倍氏の人気にあやかりたかっただけだったことが分かりました。日本の国益など関心がないから、新型コロナの起源の問題にも興味を示さない。そもそもお金にならないことには興味を示さないのが日本の政治家です。再生可能エネルギーは環境にやさしいから推進すると言いながら、実は裏で金をもらっていた秋本真利議員がそれを象徴します。

自民党には親中議員が多くいますが、彼らの目的も結局は金です。それにプラス男性議員であれば色です。自民党を「保守」と言いますが、業界の利権とべったりの自民党はアメリカの民主党そっくりです。ハニートラップにひっかかりやすい点でもよく似ています。

アメリカの民主党議員エリック・スウォルウェルが、ファン・ファンという中国の女スパイのハニートラップにかかっていたというのは有名な話ですが、日本の男性議員でも似た例が少なくないようです。

共和党の議員、特に宗教右派の場合は、その心配はありません。彼らはキリスト教の戒律を守りますから、ハニートラップには絶対かかりません。そういう政党があるのがアメリカの強みです。日本も安倍さんのような愛妻家はハニートラップにかからなかったようですが、これは個人の人格に負う部分が大きく、宗教的戒律をベースにするアメリカに比べると、脇の甘い人が多くなります。

日本の政治をよくしたいのであれば、共和党日本支部のような政党を作るとよいかもしれません。しかし共和党、共和主義というと、言葉としては天皇制否定につながってしまうので、共和党友の会、ぐらいがいいでしょうか。

冗談はともかく、日本にもアメリカの共和党のような政党がないとダメなことは確かです（文化的、宗教的な基盤が全然違うので「そのままそっくり」というのは無理だと思いますが）。

今のところ、現在の日本の政治家は親中、媚中ばかりですから、国内からの浄化は不可能です。ですから、日本の国益を考えると、とにかくアメリカ人に共和党に投票してもらうようにお願いするしかないという、大変情けない状態です。

●旧マスメディアの腐敗とインターネットメディアの自浄作用

もちろん、アメリカの政治にも問題はありますし、郵便投票の不正が疑われています。前回のもともと有権者登録のチェックも甘いなど、色々と〝汚い選挙〟になっています。前回の２０２０年の大統領選では、投票日の約１ヶ月前に発覚したバイデン大統領候補（当時）の息子ハンター・バイデンのラップトップ・パソコン問題が葬り去られました。数々の不正行為の証拠となるパソコンのデータは偽物であるとウソをついて大手マスコミは事態を収拾させ、選挙に影響が出ないようにしました。結果、バイデンは当選しましたが、最近になって息子のラップトップのデータは本物であることが明らかになりました。つまり、大手マスコミは不都合な情報は全て隠蔽し、バイデンを勝たせるように動いたわけです。アメリカの大手マスコミがやっていることは情報操作による民主主義の破壊です。

日本でも、マスコミは保守派を叩き、リベラル派を擁護する傾向があります。しかし視聴率の低迷や部数激減でも分かる通り、テレビや新聞がどんどん力を失っており、情報操作によって国民を洗脳する力が失われてきました。

既存のマスコミが力を失う一方、インターネットが情報源としての影響力を増しています。だから今度は、左翼リベラル派はインターネットで情報操作を始めています。

1章でも紹介しましたが、ツイッターの内部情報を検証した「ツイッター・ファイルズ」で、FBIやCIAが選挙で民主党が有利になるように同社に対して情報工作をしていたという事実が明らかになりました。

イーロン・マスクが買い取ったツイッターが、それまで同社でどのような情報工作が行われていたかを公開し始めたということは、昔のテレビや新聞と同じようになりかけていたインターネットメディアを、イーロン・マスクが救ったといえるでしょう。ツイッターがXになって、トランプ元大統領がアカウントを復活するなど、揺り戻しが始まっています。

情報操作が横行する社会の行きつく先は全体主義です。それをさせないよう、常に監視することが重要です。国民が監視される社会ではなく、権力やメディアが監視される社会を作らなくてはなりません。

●ネット界の救世主イーロン・マスク

ツイッター・ファイルズなどを見ると、実際に政府がIT企業に圧力をかけていたという証拠も示されています。隠れて情報統制を続けたかった左翼からすれば、ツイッターを買収したイーロン・マスクが憎くて仕方がないでしょう。

最近では政府の情報統制に協力するようになったソーシャルメディア企業ですが、もともとアメリカのIT企業は、そういうものに反対する気概がありました。グーグルの創設者はセルゲイ・ブリンとラリー・ペイジですが、ブリンは言論の自由を求めてソ連から逃れてきた両親のあいだに生まれましたから、言論の自由を重視しています。しかし創業者の二人がいなくなってから、グーグルは完全に終わりました。フェイスブック（現メタ）のザッカーバーグは、それこそエリート主義的人物で、左翼の言論統制には積極的に協力する印象を私はもっています。

そういう意味でも、私はイーロン・マスクがソーシャルメディアの経営に参入した意義は大きいと思います。彼が買収する前と後のツイッター社員の集合写真を比較したツイートが話題になりました。イーロンが来る前のツイッター社員の集合写真は、いわゆる英語で言う「ウォーク」、キラキラした若い社員ばかりです。一方、イーロンが来た後の写真は、深夜までツイッターのシステムのアップデートに取り組む、いかにも技術者然としたTシャツ姿の社員たちばかりで、女性も少しいますが、アジア系の男性が多いのが特徴です。大勢の有色人種の技術者に交じってイーロンが楽しそうに写っています。

英語で言うと「geek」、日本語では「オタク」に近い言葉ですが、技術オタクみたいな集団の写真を見せながら、私は理系の学生に、「なんか、この集団、親しみが湧かない?」と聞くと、みな一様に頷きます。

●今後期待の共和党の政治家たち

2章でも述べましたが、左翼思想に染まる人は、基本的には学歴エリートです。唯我論の彼らは勉強して他人より伸し上がって力をもとうとします。そのため社会がどんどん左傾化するわけです。学歴エリート、つまり中国の科挙のような仕組みが、世界中を汚染しています。

普通に暮らし、普通に仕事をしている人たちは、唯我論ではなく実在論を前提に生きているわけですから、多数決をすれば普通に実在論が勝つでしょう。実在論者は、他人もそれぞれ自分と同じように心をもつ、尊厳のある存在だと考えます。しかし、現代社会は唯我論のエリートたちが社会の中枢部でのさばりやすい状態になっています。この状態は何とか打破しないといけません。

ITの世界では、自分たちエリートだけで楽しもうという唯我論のマーク・ザッカーバーグやビル・ゲイツに抵抗するような形で、イーロン・マスクが進出してきました。政治の世界にも、アメリカの共和党大統領予備選で、ヴィヴェック・ラマスワミというインド系の人物が出てきましたが、彼もさきほど述べたＲＦＫジュニアと同様、既得権益を打破すると言っています。ラマスワミはバイオベンチャーを起業して成功を収めた人物でもあります。

トランプ元大統領を見れば分かりますが、事業で成功した大金持ちはしがらみがないので、政治家になっても既得権益の人たちに対峙することができます。

日本にもそういう政治家がいればいいのですが、残念ながら見当たりません。既得権益べったりでお金好きの政治家と中国べったりで日本を滅ぼしたい政治家だらけです。

やはり、日本人に唯一できる「日本をよくする最良の方法」は、アメリカ人の友達をたくさん作って、彼らに共和党に投票してと呼びかけることでしょう。日本の政治家はアメリカの言いなりなので、アメリカの政権が変われば、日本も変わります。日本の保守派が批判するＬＧＢＴ法も、アメリカ民主党政権の圧力で作られた法律です。アメリカが共和党政権ならこうはなりませんでした。

共和党は人材が豊富で、大統領予備選に立候補した人だけ見ても、ラマスワミのほかにも、ニッキー・ヘイリー（元国連大使）、ロン・デサンティス（フロリダ州知事）、ティム・スコット（上院議員）、マイク・ペンス（前副大統領）のように実力者揃いです。

●ウクライナ戦争で分かった五つのウソ

もちろん、共和党も一枚岩ではありません。共和党内で最も意見が割れていることの一つは、ウクライナ戦争でウクライナを支援するか否かです。大統領候補のうち、ヘイリーはウクライナを支援するという立場で、対中強硬派でもあります。けれども、ラマスワミはその逆の考えです。ウクライナに対する武器支援はやめて停戦にもちこむべきという考えで、これはＲＦＫジュニアと同じです。台湾についても、半導体供給を台湾に依存する状態を早く解消して、それが完了したら中台問題から手を引くべきと考えています。

日本の安全保障にとっては、ラマスワミのような大統領が誕生するのは非常に危険で、ヘイリーの方がありがたい。ただ、アメリカ人の立場から考えると、ウクライナを支援しても軍産複合体が儲かるだけで、物価は上昇して国民生活は厳しくなる。

アメリカの保守の評論家ベン・シャピーロは、「ウクライナ戦争が起きたことによって、五つのウソが明白になった」と指摘しています。アメリカの外交担当エリートたちは、ロシアの侵攻前、次のように考えていました。

①経済制裁で戦争を抑止できる
②経済力がない国は攻撃できない
③経済的な相互依存が強くなれば戦争は起きない
④国連が機能する
⑤国際的な約束や法は守られる

ところが現実は、以下のようなものだったのです。

①歴史的に大国相手に経済制裁で戦争を抑止できたことはない。大国なら抜け穴をつくれる
②国内の経済が弱ければ外に活路を求める
③経済的な相互依存があっても第一次世界大戦は起きた
④ロシアと中国に拒否権がある国連が機能するわけがない。国連は完全に腐敗

⑤悪い国は約束や法を平気で破る。国際的な約束や法は悪い国が不利なときに良い国相手にそれを守らせて時間稼ぎをするためのもの

誤解の③「経済的な相互依存が強くなれば戦争は起きない」は、歴史を見ればそもそも間違いだということが分かります。誤解③の反例は、第一次世界大戦に限らずいくらでもあるのに、なぜそんな楽観論になるのでしょうか。日本でもこうした楽観論をもつ人はたくさんおり、私は強い危機感を抱いています。

●乱世に必要な軍歴のある政治家たち

戦乱の時代に重要な役割を担えるのは軍歴のある政治家です。中国的価値観が跋扈し始めた理由は、2章でも述べた通り、西洋版科挙ともいえる学歴社会があまりにも強くなりすぎてしまったからだと私はみています。学歴エリートはマニュアル通りに事を進めるのは得意なので、平時には対処できますが、乱世に対応するだけの応用力はありません。

アメリカには軍隊出身の政治家がたくさんいます。例えばウェストポイント（陸軍士官学校）出身で、軍の世界ではエリートのマイク・ポンペイオや元下院議員で2020年の

民主党大統領予備選にも出馬したトゥルシー・ギャバードがそうです。

　ギャバードはイラクへの派兵経験があり、以前の選挙では民主党からハワイ選出でしたが、現在は無党派となって民主党の検閲体質を猛批判しています。それから、アフガニスタンで右眼を失ったため眼帯をしている下院議員のダン・クレンショーも有名です。

　ビル・クリントン以降、大統領選において軍歴の有無はあまり問われなくなりましたが、かつてのアメリカ大統領の条件の一つは、戦争で功績があることでした。ジョン・F・ケネディも第二次大戦に従軍していますし、マケインが人気があったのもベトナム戦争の英雄だったからでした。

　アメリカと違って日本の弱い点は、軍人つまり自衛隊出身の政治家が佐藤正久さんや中谷元さんなど少ないことです。これでは有事に対応できません。

●エリートには軍隊経験を

　日本では軍人の政治家は戦争をしたがるという偏見があるようです。しかし、実のところはその逆です。

　『これから「正義」の話をしよう』で有名になったハーバード大のマイケル・サンデル

教授はこう言っています。昔のアメリカはプリンストン大などを卒業したエリートの過半数が兵役に就く文化があった。エリート政治家は、戦争になったらエリート大学を卒業した息子も戦争に行くことになるので、軍を動かすことにきわめて慎重だったと。

現在ではアメリカにそういう文化はなくなりましたが、戦場の悲惨さを直接経験している元軍人の政治家が軍を動かすことに慎重なのは今も変わりません。トランプ政権のジェームズ・マティス国防長官も元軍人で、強硬派のジョン・ボルトンをなだめ、軍事的なオペレーションを抑える役割をしていました。

同じく元軍人でイラクのクウェート侵攻の際に現地で米軍を指揮したコリン・パウエル国務長官（ジョージ・W・ブッシュ政権）も、米軍がイラクに侵攻するのに最後まで反対していました。最後は結局、押し切られてしまいましたが、自分の部下を無駄な戦争で殺したくないというのが軍人です。

しかし今は、アメリカでもエリートが軍隊にあまり行かなくなり、軍歴がなく軍についての理解が足りないため、非常に軽々しく軍隊を動かす傾向があります。「戦争になったら自分は軍隊に行かなければいけない」あるいは「自分の子どもが行かなければいけない」という危機感をもつことは、平和のためにすごく重要なことなのです。

逆に、商売人はお金儲け最優先なので、お金になるなら戦争大歓迎といった考えの人が多いのです。商売人の中でも、最も戦争の勃発を願っているのが軍産複合体であることは、既に指摘した通りです。

第二次世界大戦への日本参戦も、南方に侵攻すれば石油利権が得られると考え、日本の商社がそれを支持していました。「日本は軍人が第二次大戦を始めたかった。軍部の暴走である」と言われます。そうした側面もないとはいいませんが、その背後には金儲けをしたい人たちの思惑もあったのです。

現代の日本でも、中国が経済的に豊かになれば、日本の安全保障にとって脅威になるのにもかかわらず、自分の金儲けを優先して中国と積極的にビジネスをした人がたくさんいました。中国を太らせて軍事大国化したのも商売人です。彼らこそが平和の敵なのです。

●エリートにノブレス・オブリージュを

いざとなったときに意思決定をする人たちにリスクがある、という仕組みづくりが平和のためには必要です。もし、「日本が外国から侵攻された際には、日本のエリートは前線に出る」という制度になっていたら、エリートたちは今のようになるまで中国を太らせなかったはずです。みんな、自分は戦争に行きたくないからです。

韓国のような徴兵制度がない日本ですが、公募の予備自衛官制度があります。普通、予備役といえば元軍人ですが、日本ではそれに加えて自衛隊員の経験がない一般人でも、一定期間訓練を受けると予備自衛官になれます。

さきほど述べた通り、日本では、軍事の現場を知っている政治家は佐藤正久さんなど数えるほどですから、もっと増やす必要があるでしょう。しかし、その前に自衛隊に人が集まらないのが現状です。一昨年（2021年度）は新規採用の充足率が募集定員の7割だったそうですが、去年（2022年度）は5割を割ったそうです。自衛隊に関する最近の報道はヘリコプター墜落やセクハラ、射撃訓練における銃を使った上官射殺などマイナスな話ばかりで、充足率が下げ止まりになるのではないかと心配しています。

私には、エリートの安全保障を真剣に考える姿勢の欠如、軍事を知っている政治家の不足、自衛隊の人材不足の三つを同時に解決する一つの提案があります。今、大学生や大学院生に奨学金を貸与する制度がありますが、予備自衛官になれば無条件で奨学金を与える案です。あるいは一部の国立大学、例えば旧帝大などは予備自衛官になるのを義務付けるなど、エリートがノブレス・オブリージュを背負わせるようにするのも一案です。

勉強さえできれば意思決定権がもたらされる、という状態は変えなければいけません。それでは特権を自分の利益のためだけに使う人が増えるだけです。

●現実味を帯びる中国との戦争

人に予備自衛官になるのを押し付けて、自分は何なんだと言われるかもしれません。今までごく一部の場所でしか話していなかったのですが、実は私自身も予備自衛官です。

私は東日本大震災の折に、衛生と語学を専門とする予備自衛官が、看護師や通訳として招集されたというニュースを見て、この制度の存在を知りました。公募予備自衛官には技能公募という枠があり、衛生や語学もそれに該当します。当時、40歳だった私は、「40年生きてきて、日本のため、社会のために何一つ役に立っていない。死ぬまでに少しは人の役に立ちたい」と思いました。幸い、語学ならばそれなりにできます。そこで、応募して採用され、その後2年間に計2度の訓練を受けて予備自衛官になりました。

私は、今後日本が中国と戦争になる可能性は高いと思っています。ウクライナ、イスラエルでの戦争が続き、アメリカの軍事力が分散されるタイミングは、中国にとって台湾侵攻のチャンスです。台湾有事になれば、日本の先島諸島も戦争に巻き込まれるでしょう。

そうなった場合、私は通訳なので、米軍との共同作戦で前線に出る可能性はあると思っています。だからこそ、戦争になってほしくないわけです。

私は予備自衛官になって10年で、自衛官や元自衛官の人たちと付き合いも長くなりました。正直、大学教授のような学歴エリートよりも、はるかに人間性に優れた人が多いです。そういう人たちと交流できたことは私にとって本当に幸せなことでした。彼らが戦場に行かなければならない事態はできるだけ避けねばならない。そのために必要なのは中国の弱体化です。

●自ら予備自衛官となって得た経験

私はこれまで、予備自衛官であることをあまり表にしてこなかったのは、今のところ訓練を受けているだけで、実際に災害現場や戦場に行って活動していないからでした。まだ本当の意味で役に立っていない。でもその考え方は間違いなのではないかと最近気づきました。

吉田茂が防衛大学の卒業生に語った以下の台詞は有名です。

「自衛隊が国民から歓迎されチヤホヤされる事態とは、外国から攻撃されて国家存亡のときとか、災害派遣のときとか、国民が困窮し国家が混乱に直面しているときだけなのだ。言葉を換えれば、君たちが日陰者であるときのほうが、国民や日本は幸せなのだ。どうか、耐えてもらいたい」

日陰者としていざという時のために備えていること自体に価値があるというのが吉田茂のメッセージです。私も10年間毎年訓練に行って備えていたので、そのことに自らの価値を認めていいのではないかと思うようになりました。

不幸にも、東日本大震災が起こり、自衛隊は陽の目を見ることになりました。それで自衛隊に対する国民の評価もかなり好転しました。訓練では駐屯地から射撃場までトラックで移動するのですが、トラックに乗っていると、自動車やバイクに乗っている周りの人たちからしばしば敬礼を受けることがあります。

一昔前は、自衛隊に対する世間の目はもっと冷たかった。学校の先生は、自衛隊のことを人殺しと言ってきた。その当時、自衛隊員だった先輩方、そしてそのご家族の苦労は大変なものだったと思います。私が一般の方々から敬礼を受けるときは、そういう苦労をされた先輩方への敬礼と受け止めるようにしています。

●能力を社会に役立てたいという衝動

よく、私は色々なことに手を出し過ぎだと言われます。最近は新型コロナの起源追究に取り組んで目立ってしまっていましたが、私がイラネッチケーを作った人だと分かると、その両者があまりに違うジャンルのことなので、よく驚かれます。前述したように、日本は専門から外れた行動をとることを著しく嫌う文化がありますから、この両者に取り組んだことに対しては批判的に言われることの方が多いです。

ただ、予備自衛官にしても、イラネッチケーにしても、新型コロナ起源追究にしても、私がそれに取り組んだ理由は共通しています。それは、自分の能力を社会の役に立てたいということです。40年間の人生で何の役にも立てていないと思ったから予備自衛官になった。NHKを全く見ないのにテレビ受像機を持っているだけで受信料を払わされて困っている人がいるから、それを助けたいと思ってイラネッチケーを作った。危険なウイルスを人工的に作る研究活動を抑止して、パンデミックの再発で多くの人が命を落とすのを繰り返させないために、新型コロナの起源を追究した。それだけです。

幸い、私はいずれについても実践するだけの能力はあったので、それを生かさないといけないと思いました。ある意味、ノブレス・オブリージュに近いのですが、私は別に高貴（ノブレス）な人間ではないので、高貴な人間の義務（オブリージュ）というよりは、目の前にある問題を解決できる能力のある人間の義務といった感覚でしょうか。

渡辺和子さんの『置かれた場所で咲きなさい』という本は有名ですが、その本にこういう一節があります。水道工事の現場を通りかかる時、親が子どもに「こうして働いてくださるおかげで、おいしい水が飲める」と語るか、「勉強しないと、こういうお仕事をしないといけなくなる」と語るかで、その子の価値観形成は大きく変わると。

おそらく、高学歴者は後者の教育を受けた人が多いのだと思います。だから、医師でも自分が医学部に入れたから、医師免許を取ったから偉いというようなマウントの取り方をする。でも、本当の医師の価値は患者の病気を治すこと、命を救うことです。それができない医師は、どんなに勉強ができたとしても、何の価値もない。

私も、勉強だけはかなりできる方でしたが、逆にその能力を生かしきれず、社会貢献を十分できていないことに対する歯がゆさが常にありました。でも、２章でも述べた通り、新型コロナウイルス起源の追究活動をしてきたことで、少しは自らの能力を生かした社会貢献ができたのではないかと思っています。

イマヌエル・カントが死ぬ前に「これでよし」と言ったことは有名です。自分をカントに喩えるのは大変僭越ですが、明日死ぬとしても「これでよし」と言えるような気がしています。

あとがき

２０２３年10月31日、本文にも登場したウイルス学者の宮沢孝幸准教授が京都大学から「追い出される」ことが公になりました。新型コロナに関して、不正確な感染予測を繰り返す西浦博教授を招き、山中伸也教授を政府の方針を無批判に拡散するための広告塔にした時点で、京都大学には大きな問題があると考えていました。西浦教授は東京五輪を開催すれば感染爆発を起こすと発信し、それが間違っていたのにもかかわらず何の訂正も謝罪もしていません。

今回、ワクチン接種を推進してきた政府および製薬企業にとって「不都合な真実」を発信してきた宮沢先生を「追い出す」決定をしたことで、京都大学は真理を探求する学問の府としての役割を完全に放棄したことが明らかになりました。水俣病で間違いを発信し続けた清浦雷作教授を守った東京工業大学、真実を告発した宇井純助手を万年助手扱いした東京大学と並び、京都大学は歴史に大きな汚点を残すことになるでしょう。

宮沢先生のオミクロン株人工説が証明されても、宮沢先生を「追い出した」京都大学の教授たちは、清浦雷作教授と同様、何の反省もしないでしょう。多数派にさえ属していれば、どんな間違いを犯しても全く責任を問われないのが日本社会です。日本に「学者の正義」はありません。

最近は日本の研究倫理や技術者倫理の教材でも、内部告発を推奨する記述が増えました。けれども、日本でその記述の通りの行動を本当に起こしたら、宇井先生や宮沢先生のような目に遭うだけです。私は研究倫理や技術者倫理の授業で、日本の内部告発者が歴史的にどういう悲惨な末路を辿ったかを正直に話します。その現実を直視すれば、日本で内部告発は絶対勧められない。私は、学者の正義を貫く生き方をしたいなら、日本を出て欧米のアカデミアを目指すべきだと言っています。

もちろん、今は欧米の大学も大きな問題を抱えています。教授陣の左傾化と無神論の拡大で、真理を探求する文化が崩壊しつつあります。本文にも書いた通り、科学はもともと神が創造した世界の正体を知るために生まれました。科学の実証主義に基づいて明らかになったその正体は聖書の記述と矛盾していました。その結果、神を知るための科学が、神（キリスト教）を殺すことになった。皮肉なことに、それが平気でウソをつく無神論者を生み、科学は彼らの手で殺されようとしています。

形而上学的な価値を認めない者は、正直に生きる動機をもちません。もちろん、ウソがバレたら厳しく罰せられる場合はウソをつかない。けれども、ウソが絶対バレない場合、あるいはウソが発覚しても罰せられない場合は、自分の利益のためなら平気でウソをつく。科学研究の世界は性善説に基づいて構築されています。論文の査読も著者がウソをつかないことを前提にしている。無神論が広がった今、それは改める必要があります。

私は西洋の科学にはまだ希望をもっています。自分には何の得にもならないのに、新型コロナの起源追究に立ち上がった学者がたくさんいたからです。彼はまだ「神の目」を意識する文化を継承している。新型コロナ起源追究を通じて彼らと交流できたことは本当に幸せでした。新型コロナウイルスのパンデミックは非常に不幸な出来事でしたが、それがなければパリグループに属する海外の優秀な科学者たちと知り合うこともありませんでした。

彼らとの交流を通じて思い出されたのが、大学院生時代のことです。フィールズ賞受賞者である広中平祐先生は、1990年代にJAMSセミナーという日米の学生交流セミナーを開いていていました。私もそのセミナーに何度か参加させてくださったのですが、そこでハーバード大学をはじめとする米国の一流大学の大学院生と議論したことを、パリグループの会議中によく思い出しました。私が海外の一流学者を前に臆せず発言できたのは、JAMSセミナーの経験があったからだと思います。広中平祐先生をはじめ、当時JAMSセミナーを開催して若い私に貴重な成長の機会を与えていただいた方々にあらためて感謝申し上げます。広中先生が私にしてくださったことを、私も今の若い人たちにしていかなければいけないという思いを強くしました。

日本国内でも、数は少ないものの真理を探求する学者に巡り合うことができました。なかでも、宮沢孝幸先生、そして免疫学者の新田剛先生（東京大学）と知り合えたことは大変な幸運でした。お二人の共通点は、科学的に正しいことをぶれずに追究するため、ワクチン推進派からも反対派からも嫌われたことです。さらにお二人は『英霊の言乃葉』（靖国神社刊行）をお持ちという共通点もあります。

私は海軍飛行予科練習生の「遺書・遺詠・遺稿集」を持っています。日本には「神の目」はありませんが、「英霊の目」があることに気づきました。日本では、それを意識できるか否かが、このパンデミック下で真理のために生きるか、自分の欲のために生きるかを分けたのではないかと思います。日本の科学、そして日本という国を立て直すヒントは、そこにあるような気がしています。

最後に編集者の槇保則さんをはじめ、本書を完成させるためにご尽力いただいた方々に深く感謝申し上げます。ありがとうございました。

掛谷英紀（かけや・ひでき）
筑波大学システム情報系准教授。1970年大阪府生まれ。東京大学理学部生物化学科卒業。同大大学院工学系研究科先端学際工学専攻博士課程修了。博士（工学）。通信総合研究所（現・情報通信研究機構）研究員を経て現職。専門はメディア工学。著書に『学問とは何か』（大学教育出版）、『学者のウソ』（ソフトバンククリエイティブ）、『「先見力」の授業』（かんき出版）、『知ってますか？　理系研究の“常識”』（森北出版）、『学者の暴走』（扶桑社新書）など。

扶桑社新書　487

学者の正義

発行日 2024年1月1日　初版第1刷発行

著　　者………掛谷 英紀
発 行 人………小池 英彦
発 行 所………株式会社　育鵬社
〒105-0023　東京都港区芝浦1-1-1　浜松町ビルディング
電話　03-6368-8899（編集）　http://www.ikuhosha.co.jp/
株式会社　扶桑社
〒105-8070　東京都港区芝浦1-1-1　浜松町ビルディング
電話　03-6368-8891（郵便室）
発　　売………株式会社　扶桑社
〒105-8070　東京都港区芝浦1-1-1　浜松町ビルディング
（電話番号は同上）

ＤＴＰ制作………株式会社　明昌堂

印刷・製本………中央精版印刷株式会社

Printed in Japan　ISBN978-4-594-09603-8

本書のご感想を育鵬社宛てにお手紙、Ｅメールでお寄せ下さい。
Ｅメールアドレス　info@ikuhosha.co.jp